W9-CYW-986

Читайте все романы Александры МАРИНИНОЙ:

Адрес официального сайта Александры Марининой
в Интернете http://www.marinina.ru

Александра
МАРИНИНА

КАЖДЫЙ
ЗА СЕБЯ

Том 1

ЭКСМО

МОСКВА 2004

УДК 882
ББК 84(2Рос-Рус)6-4
М 26

Оформление художников
С. Курбатова, А. Старикова, А. Рыбакова

Маринина А. Б.

М 26   Каждый за себя: Роман в 2-х т. Том 1.— М.:
Изд-во Эксмо, 2004. — 320 с.

ISBN 5-699-06797-3
ISBN 5-699-06780-9

Каждый сам за себя, каждый одержим своим — кто безрассудной любовью, кто ненавистью, которая не дает дышать. И каждый бесконечно одинок в скорлупе собственного «я». Особенно остро переживает свое одиночество Вероника, врач, волею обстоятельств ставшая домработницей в большой, обеспеченной и сложной семье. Здесь у всех свои проблемы, свои амбиции, свои счеты друг с другом. И только ли в этой семье так — разве где-то в огромном мегаполисе, легко перемалывающем судьбы людей, жизнь устроена иначе? Веронике надо выжить, уцелеть в этом холодном и жестоком мире. Но оказывается, чтобы выжить, надо непременно помогать — пусть и тайно — другим, чужим и чуждым, в сущности, людям. А добро — вещь наказуемая. Вот и оказалась Вероника в мрачном чулане, в двух шагах от гибели, с почти уже нереальной надеждой, что во мраке ее отчаяния внезапно зажжется спасительный огонь...

УДК 882
ББК 84(2Рос-Рус)6-4

ISBN 5-699-06797-3(РБ)
ISBN 5-699-06780-9(А.М.Кд.)   © ООО «Издательство «Эксмо», 2004

Глава 1

В ДОМЕ НАПРОТИВ

Он ненавидел этот дом, и эту квартиру, и эту комнату, и кухню, и ванную с туалетом. И коридор он тоже ненавидел. И грязную лестничную площадку, и вонючий подъезд, и щербатые ступени, и ободранные перила. Все это было так не похоже на то, к чему он привык. Конечно, утешало то, что здесь он ненадолго, во всяком случае, не навсегда, это уж точно. Но все равно он ненавидел и квартиру в целом, и каждую мелочь в ней, и эта ненависть душила его и мешала спать. Каждое утро он просыпался ни свет ни заря, задолго до треска будильника, наспех умывался, завтракал — сам, даже мать не будил — и убегал в институт. И куда только девалась его любовь поспать подольше! На все готов, лишь бы побыстрее уйти отсюда.

Он и из института приходил бы поздно вечером, но родители не поймут. И не простят. Он нужен дома. Он это понимал. Он нужен отцу, маме, нужен своему брату, который все еще в больнице и неизвестно когда оттуда выйдет.

Есть ненависть, которая не дает дышать. И есть чувство долга перед близкими и любовь к ним, которая заставляет делать вдох, выдох и жить дальше. Жить здесь, в этой квартире, пропитанной чужим духом — духом бедности, беспробудного пьянства и беспросветного горя. Вообще-то, он не знал людей, которые жили здесь прежде, но отчего-то был уверен, что непременно были и пьянство, и горе, и скандалы. Тот, кто живет в ТАКОЙ квартире и в ТАКОМ доме, просто не может быть счастлив.

Матери повезло, она нашла работу в какой-то фирмочке, крохотной, но все-таки с зарплатами повыше государственных, а в свободное время еще по ученикам бегает, натаскивает их по немецкому языку. Дома почти не бывает, даже в выходные у нее уроки, так что ей все равно, в какой квартире жить, она здесь только душ принимает и спит. А вот отец проводит в этой дыре целые дни. И как он выдерживает?

Допил чай, стал засовывать в сумку учебники и тетради и снова, как и каждый день, натолкнулся на мысль: а что было бы, если бы он поступал в другой институт? Не в экономический, а в технологический, вместе с братом-близнецом? Как бы тогда все сложилось? Так же или по-другому? Они, совершенно непохожие друг на друга, всю жизнь были вместе, впервые расстались только на вступительных экзаменах, потому что выбрали для себя разные вузы. Костя, плечистый и сильный, всегда защищал более хрупкого и нежного Вадика, опекал его и вел себя как старший, хотя старшинство его исчислялось всего несколькими минутами. Они и по характеру различались: Костя решительный и жесткий, а Вадик обидчивый, сентиментальный и доверчивый, как девочка. Костя был уверен, что без него братишка пропадет. Так и вышло... И каждое утро, собирая учебники, Костя корил себя за то, что не плюнул на экономику и не подал документы в тот институт, куда поступал Вадик. Как он мог оставить брата одного, без помощи и поддержки? В том, что случилось, есть и его вина, Костина, и теперь нужно сделать все возможное, чтобы ее искупить. Поэтому никаких гулянок с сокурсниками, никаких девочек, ночных клубов и Интернет-кафе, после занятий сразу домой, помогать отцу. Вечером — к Вадьке в больницу, отвезти ему книги, развлечь общим трепом и снова назад, в эту ненавистную квартиру, в этот ненавистный дом, стоящий на этой ненавистной улице.

НИКА

Девочка Элли из «Волшебника Изумрудного города» шла к свой цели по дороге, вымощенной желтым кирпичом. Интересно, какими булыжниками выложена дорога, по которой иду я, Ника Кадырова? Некоторое время назад мне казалось, что под ногами симпатичненькая тротуарная плитка и по ней я легким прогулочным шагом под ручку с любимым мужем дошагаю до спокойной размеренной жизни, которую ведет замужняя дама, уверенная в завтрашнем дне. Теперь, однако, меня одолевают сомнения. Да что там сомнения — никаких сомнений уже нет, есть горькое понимание того, что меня столкнули в канаву, и как я буду из нее выбираться — никого не интересует.

Мой муж Олег меня бросил. Вот так просто и банально... После шести лет жизни в гражданском браке он уговорил-таки меня расписаться, а спустя еще несколько месяцев ушел к другой женщине. В принципе, ситуация типичная, ничего особенного, тысячи женщин остаются одни именно так: неожиданно и после долгих лет жизни в любви и согласии. Но в моем случае имелись некоторые нюансы.

Нюанс первый: для меня уход Олега был неожиданностью в самом прямом смысле этого слова, я не кривлю душой и не пытаюсь обманывать саму себя. Когда у мужа появляется другая женщина, существуют сотни признаков, как мелких, так и весьма заметных, по которым даже не очень внимательная жена может заподозрить неладное. Ну что я вам рассказываю? Будто сами не знаете... У меня не было возможности ничего заметить, потому что меня не было в Москве. На протяжении пяти месяцев я находилась в Ташкенте, где выхаживала свекра после инфаркта. Я очень люблю родителей Олега, они чудесные старики, и, конечно, когда свекор заболел, Олег тут же отправил меня к нему. А кого же еще посылать к тяжелобольному старику? Только Нику, которая, во-первых, врач и, во-вторых, все равно не работает, так что отпрашиваться у начальства или брать отпуск за свой счет ей не нужно.

Старика я выходила. И, вернувшись в Москву, в первый же вечер услышала радостную новость о том, что мы с Олегом больше не будем жить вместе. Выложенная тротуарной плиткой дорожка оборвалась неожиданно, и о том, что она упирается в канаву, меня не предупредили. Вот я и шагнула...

Нюанс второй: я не являюсь полноценной гражданкой России. У меня узбекский паспорт и справка из российского посольства в Узбекистане о том, что я оформляла российское гражданство. И никому почему-то не интересно было вникать в то, что российский паспорт мне в Ташкенте не выдали, потому что бланков не было. Их не было довольно долго, почти год, а потом я продала свою ташкентскую квартиру, и мы с Олегом переехали в Москву, куда его давно звали друзья. С его специальностью в Москве можно было устроиться на интересную и прилично оплачиваемую работу, в Ташкенте же перспектив не было никаких. И мы уехали. Олег со своим замечательным российским паспортом, который он успел оформить, когда бланки еще были, сразу нашёл работу, и зарплата у него была такая, что можно было не дергаться по поводу моего трудоустройства. Мы снимали квартиру, наша хозяйка — дай ей бог здоровья — зарегистрировала нас по своему адресу, и я сидела дома и варила Олегу борщи. А чем еще я могла заняться без российского паспорта и без прописки?

И вот когда на меня рухнуло известие о неземной любви моего мужа, я с тем и осталась: с отсутствием паспорта, с отсутствием прописки и с отсутствием средств к существованию. Платить за жилье мне нечем, поскольку нет работы и зарплаты, а работы нет, поскольку нет прописки и паспорта. Мой узбекский паспорт никому в Москве оказался не нужен, да и справка из посольства отчего-то ни у кого энтузиазма не вызывала. Более того, когда я еще не осознала всей глубины канавы, в которую шмякнулась, я предпринимала довольно неловкие попытки подняться и вылезти с наименьшими потерями, кинувшись в паспортный стол с вопросом о том, как мне оформить паспорт. Меня подняли на смех, а справочку мою назвали филькиной грамотой, к тому же недействительной. Более вразумительного ответа я не получила. Зато получила ценный совет, выцеженный сквозь зубы паспортисткой в перманенте: купить квартиру, получить прописку, тогда, может быть, и справку примут во внимание, и паспорт дадут.

Да, моя канавка оказалась куда глубже, чем я предполагала. Наивная... Я-то думала: получу паспорт, устроюсь на работу, все-таки я много лет проработала на «Скорой помощи», и с трудоустройством проблем не будет. Сниму какое-нибудь сверхдешевое жилье вроде комнаты в коммуналке в ветхом доме. И начну заново выстраивать свою жизнь, потихоньку, маленькими шажочками. Ан нет, Вероника Амировна, обломалось вам.

Сидела я в своей грязной глубокой канаве и озиралась по сторонам в поисках тропинки, по которой мне придется ползти дальше. Тропинка первая — вернуться в Ташкент, хотя квартиру я продала и жить мне там негде, но зато на работу возьмут без вопросов. Тропинка вторая — остаться в России и попытаться как-то выкрутиться. Но как?

Смехотворность ситуации заключалась еще и в том, что если для москвичей, равно как и для жителей любого другого российского города, я была и есть «приезжая нацменка» Вероника Амировна Кадырова, несмотря на типично славянскую внешность, то для узбеков я была и останусь русской, несмотря на узбекский паспорт. Был в моей жизни момент, когда можно было пойти по одной из двух дорог. По рождению я Вероника Андреевна Мельникова, так было записано в свидетельстве о рождении, и родители мои были русскими. Когда мне было шесть лет, мама вышла замуж второй раз, и отчим-узбек меня удочерил. Меня, само собой, никто не спрашивал, да если бы и спросили, вряд ли я смогла бы дать осмысленный ответ, ведь своего родного отца я не знала и никогда не видела. Мне сменили документы, и я превратилась в Веронику Амировну Кадырову. Дорогу за меня выбрали взрослые, я могла остаться Мельниковой, но они решили, что лучше пусть я буду Кадыровой. И вот эта выбранная ими дорога привела меня к тому, к чему привела. Я, в общемто, понимаю ту паспортистку в перманенте: стоит перед ней тетка с отчеством Амировна и с фамилией Кадырова и утверждает, что она русская и у нее есть российское гражданство. Ну как тут поверить? Ясное дело, что справка о гражданстве липовая. И никаких документов о том, что по рождению я Мельникова, у меня, естественно, нет.

Правда, дорога, проложенная мамой и отчимом, привела меня к Олегу, которого я очень любила и с которым была счастлива, а если бы я осталась Мельниковой, то неизвестно, как сложилась бы моя жизнь. Может, лучше. А может, и хуже. Нам знать не дано.

Потом был еще один момент, когда я могла принять решение и выбрать одну из двух дорог. Это была регистрация нашего с Олегом брака.

Можно было сменить фамилию и стать Вероникой Седых. Можно было остаться Кадыровой. И почему я не взяла фамилию мужа? Все-таки легче было бы. Паспорт у меня был бы по-прежнему узбекским, но хоть фамилия была бы в нем русская. Впрочем, еще неизвестно, куда меня привела бы та невыбранная дорога. Возможно, канава, в которой я очутилась, оказалась бы еще глубже и грязнее. Нам знать не дано.

Я вообще люблю эту тему — тему дорог, которые мы выбираем. Началось все давно, когда мне было лет семь или восемь. Мама нарядила меня в красивое платьице, повязала в волосах роскошный бант и повела в театр на детский спектакль. Как я ждала этого дня! И вот дождалась. Мы, такие нарядные и радостные, вышагиваем в театр. А навстречу, как назло, топал мой заклятый враг одноклассник Мишка. Я успела заметить взгляд, который он кинул сначала на мое чудесное платьице, потом на лужу... Это уже потом, много лет спустя, у меня выработалась мгновенная реакция, без которой на «Скорой помощи» просто нечего делать, а тогда я ничего не успела предпринять, и через какую-то секунду мое восхитительное голубое платье пришло в такой вид, что ни о каком театре не могло быть и речи. Я ревела во весь голос, мне было не только обидно оттого, что я не увижу спектакль, но и отчаянно стыдно, потому что люди оглядывались на меня и, наверное, думали, что я нищая замарашка. Я попросила маму отвести меня домой закоулками. Мама искренне жалела меня и старалась утешить, как могла.

— Смотри, Ника, какие красивые цветы, — сказала она, показывая мне желто-фиолетовые ирисы, росшие за забором в чьем-то садике.

Я тут же забыла о своем горе и уставилась на это чудо. Прежде я никогда не видела ирисы, и цветы показались мне просто волшебными.

— Если бы мы с тобой не пошли по этой улице, — продолжала мама, — ты бы не увидела эти сказочные цветы. А мы ни за что не пошли бы по этой улице, если бы Миша не испортил твое платье. Так что давай не будем на него сердиться, лучше скажем ему спасибо.

— Если бы он не испортил платье, я бы сейчас смотрела спектакль, — возразила я, все еще всхлипывая.

— Мы можем пойти в театр в следующее воскресенье, но ты никогда не оказалась бы на этой улице и не увидела бы ирисы, если бы не Миша. Понимаешь?

Как ни странно, я поняла. И с тех пор все события в своей жизни, даже самые малозначительные, обдумывала и оценивала с точки зрения дороги, по которой меня вынуждали идти эти события. Вся человеческая жизнь представлялась мне в виде постоянно разветвляющихся тропинок, и на каждой развилке — момент принятия решения, момент выбора, порой совсем простого и очевидного, порой сложного и мучительного, а порой и просто по принципу «чет-нечет», потому что совершенно неясно, каковы будут последствия того или иного выбора, ты ничего не можешь спрогнозировать и принимаешь решение наугад. Это как в преферансе, когда противник играет мизер и ты знаешь, что при раздаче и после взятия прикупа у него оказались три ловленые карты. Две он снес, одну оставил, но какую? Угадаешь, какую карту он оставил, — заставишь его взять взятку, а то и целый «паровоз», не угадаешь — он эту карту снесет и сыграет свой мизер. И вот начинаешь вдвоем с партнером гадать, что же именно игрок снес, а что оставил. Бывает, что помогает логика. А бывает, что и нет. И приходится просто гадать, как монетку подбрасывать.

Но это так, к слову. Экскурс в детство. Сейчас я уже взрослая, мне тридцать шесть лет, и сижу я в своей неуютной канаве и гадаю, то ли в Москве остаться, то ли в Ташкент возвращаться. И в том, и в другом решении есть свои плюсы и огромное количество минусов. А времени для принятия решения все меньше и меньше, через два месяца закончится срок последней полугодовой регистрации по адресу моей квартирной хозяйки. Хорошо хоть у Олега совести хватило заплатить ей за два месяца вперед, чтобы у меня было время на разгон. Но разгоняться можно только по дороге или, на худой конец, по тропинке, сидя в канаве, не больно-то разгонишься.

После месяца беготни по инстанциям с подъемом в четыре утра, чтобы в пять уже занять очередь, оказаться тысяча триста пятнадцатой и к концу рабочего дня убедиться, что тебя не примут или в очередной раз откажут, я поняла, что с паспортом и гражданством мне никак не прорваться. Надо было искать какой-то другой путь. И мне показалось, что я его нашла. По крайней мере, теоретически.

Мне нужно устроиться домработницей с проживанием. Тогда будет крыша над головой и зарплата. А если будет место, где спать, и деньги, чтобы жить, можно постепенно решать вопрос с оформлением своего гражданского статуса. Но для этого надо найти семью, где не будут обращать внимание на неопределенность этого самого статуса и на отсутствие российских документов. Идея показалась мне совершенно гениальной, и я утвердилась в своем мнении, взяв газету «Из рук в руки» и обнаружив не менее десятка объявлений о том, что требуется «помощница по хозяйству с проживанием к больному человеку». К больному! А я врач. Конечно же, у меня есть все шансы быть нанятой на такую работу.

Но меня ждало разочарование. И какое! Оказывается, великорусские шовинисты сидят не только в паспортных столах и миграционных службах.

— Как вас зовут? — доброжелательно спросили меня, когда я позвонила по первому из отчеркнутых в газете номеров.

— Вероника.

— А полностью?

— Ну что вы, можно просто Вероника, — глупо ответила я, потому что выяснилось, что истинный мотив вопроса остался мною не угадан.

— Назовите имя полностью, — голос в трубке заметно посуровел.

— Вероника Амировна Кадырова.

— Извините, вы нам не подходите.

Вот так. Но я еще тешила себя надеждой, что случайно нарвалась на людей, предпочитающих русскую домработницу. После восьмого звонка стало понятно, что ничего случайного тут не было. Из восьми телефонных разговоров в двух меня напрямую назвали «нацменкой», а в одном, услышав мою фамилию вместе с отчеством, заявили:

— Да вы с ума сошли! И не звоните сюда больше.

В одной семье, кажется, пятой по счету, благосклонно выслушали мой послужной список и вежливо поинтересовались, почему это медик с высшим образованием ищет такую малопрестижную работу. Врать я не стала. Какой смысл говорить неправду? Если я совру и меня возьмут, то все равно придется показывать документы, и уж тут-то меня сразу выпрут пинком под зад. Если не за отсутствие статуса, то за вранье.

— Жаль, — вздохнула женщина на том конце провода, — а я уж было обрадовалась, что нашла человека для нашей бабушки.

Мне тоже было жаль. Ну ничего, на следующей неделе выйдет новый выпуск «Из рук в руки», там тоже будут объявления, и, может быть, мне повезет.

Следующий выпуск газеты меня ошарашил. Из двенадцати объявлений о помощницах по хозяйству с проживанием девять оказались теми же, что и в предыдущей газете. По этим номерам я уже звонила. Мне как-то в голову не приходило, что объявления повторяются из номера в номер на протяжении длительного времени. На звонки по оставшимся трем новым номерам ушло около часа. Результат оказался вполне прогнозируемым, женщина с узбекским именем и узбекским паспортом нужна не была. До следующего выпуска газеты, в котором может оказаться хотя бы один новый номер телефона, оставалась неделя. А до момента, когда мне придется освободить квартиру, этих недель оставалось всего три.

Разумеется, я пыталась решить свою проблему через фирмы, которые как раз и занимаются предоставлением населению услуг сиделок и

18

домработниц, но ни в одной из них со мной даже разговаривать не стали. Они работают только с теми, у кого есть московская прописка или хотя бы российский паспорт с регистрацией в любом российском городе.

Ну что ж, у меня была целая неделя на экспериментирование, ведь я врач «Скорой помощи», и у меня никогда не опускаются руки, пока есть хоть малейшая надежда. И если у больного нет денег, чтобы купить нужное лекарство, я напрягусь и придумаю, чем его заменить.

Целый день я красивым четким почерком писала объявления. Еще день был потрачен на то, чтобы расклеить их по всему городу. Я вышла из дома в шесть утра и вернулась в десять вечера, и мне казалось, что я целиком состою из двух огромных отекших ног, над которыми взгромоздился невероятных размеров желудок, истошно вопящий от голода. Теперь оставалось сидеть у телефона и ждать. Ждать нового выпуска газеты или реакции на мои объявления.

Газета вышла, в ней оказались четыре новых номера, но люди, отвечавшие по этим номерам, были все теми же: они не хотели иметь дело с приезжей «нацменкой» без прописки. И почему-то никто мне не звонил.

Миновала еще неделя, и мне пришло в голову, что нужно не мучиться принятием решения о выборе тропинки, а предоставить это судьбе. Если ей захочется, чтобы я осталась в Москве, за оставшиеся две недели она пошлет мне работодателей. Если она этого не захочет, то работу я не найду и через две недели вернусь в Ташкент. Говорят же, что судьба помогает тем, кто идет правильной дорогой. Вот я и узнаю, какая из двух дорог правильная.

За два дня до истечения срока аренды квартиры раздался звонок.

— Вероника?

Голос был женским и незнакомым, значит, по объявлению. Неужели?..

— Да, я вас слушаю.

— Вы давали объявление...

— Да-да, — торопливо подхватила я. — Все правильно, это я.

— Скажите, вы действительно врач?

— Да, я могу предъявить диплом и документы о квалификации. И трудовую книжку. Я работала на «Скорой помощи».

— А почему вас не устраивает работа в медицинском учреждении?

— Видите ли... Не буду скрывать, меня бросил муж, и мне негде жить. Устроиться домработницей с проживанием — мой единственный шанс выбраться из той ситуации, в которую я попала.

— Вы что, рассчитываете до конца своих дней прожить в чужой семье? — В голосе незнакомки явственно слышалась насмешка.

— Нет, я рассчитываю скопить денег на то,

чтобы купить себе квартиру. Я умею жить экономно и на роскошное жилье не претендую, меня вполне устроит дальнее Подмосковье, там жилье дешевое, я узнавала.

— Вы прописаны в Москве?

Ну конечно, а как же иначе. Разве могло обойтись без этого вопроса, от которого у меня делаются судороги в волосах. Но врать нельзя.

— Нет.

— А где вы прописаны? Вы приезжая?

— Я из Ташкента. Русская из Ташкента. Мы с мужем снимали квартиру, но теперь он живет с другой женщиной, и мне нечем платить за жилье. А поскольку у меня нет прописки, устроиться на работу по специальности я не могу.

— Вы давно живете в Москве?

— Четыре года.

— И где работали все это время?

— Нигде. Муж хорошо зарабатывал. Да меня никуда и не взяли бы без прописки.

Сейчас она спросит меня про фамилию, и на этом мероприятие можно будет считать завершенным. Господи, как мне это надоело!

— Пятьсот долларов в месяц вас устроит?

Ну вот, судьба сделала выбор. Вернее, дала мне понять, какое из двух решений для нее предпочтительнее. Она хочет, чтобы я осталась. Ну что кривить душой, я ведь тоже этого хочу. Сказать честно, почему? Не потому, что мне так уж безумно не хочется возвращаться в Ташкент.

21

А потому, что я все еще надеюсь: Олег вернется. Он ведь не попросил у меня развод, он просто сказал, что полюбил другую и уходит к ней. А вдруг это временное помрачение рассудка, которое случается с каждым мужиком в интервале от сорока до пятидесяти? Это так и называется: кризис среднего возраста. Помрачение пройдет, и он вернется. И нужно, чтобы я была в Москве в тот момент, когда он захочет меня увидеть.

Судьба оставляла меня в Москве, и в тот момент для меня это выглядело предупреждением и обещанием: жди, он вернется.

НА СОСЕДНЕЙ УЛИЦЕ

— Я запрещаю тебе так говорить о моем муже!

Напрасно она это сказала, ох, напрасно. Глупая, не понимает, что ему никто ничего не может запретить. Никто не имеет права своей властью запрещать лично ему что бы то ни было. Почему люди такие тупые? Почему они не понимают самых элементарных вещей?

Игорь молча распахнул входную дверь, снял с вешалки шелковый плащ и подал стоящей перед ним женщине.

— Я не хочу тебя видеть, — спокойно произнес он. — Уходи и больше не возвращайся.

— Игорь... — растерянно пробормотала она. — Игорь, ты что? Ты рассердился?

— Нет. Я просто не хочу тебя больше видеть. Уходи, — повторил он все так же спокойно.

— Но, Игоречек, это же глупо... Ты что, ревнуешь меня к мужу?

Она попыталась обнять его, но он резко отстранился.

— Ты такая же дура, как и все остальные. Убирайся!!! — неожиданно заорал он.

Вытолкнул ее на лестничную площадку и с грохотом захлопнул дверь. Идиотка. Впрочем, как и все бабы. Да и мужики не лучше. Каждый козел норовит присвоить себе власть господа бога и управлять чужими жизнями. Каждый придурок считает себя вправе устанавливать собственные правила игры и что-то кому-то разрешать или запрещать. Да кто они такие?!

Он ни секунды не сожалел о том, что выгнал свою любовницу, более того, точно знал, что не примет ее, если она попытается снова прийти. Подумаешь, проблема, новую бабу найти проще простого. Игорь так и не уразумел до конца, что находят в нем женщины, ведь он так некрасив, и всю жизнь он был некрасивым и никогда не обольщался насчет своей внешности, однако телки западают на него, как говорится, на счет «три». Правда, у него есть деньги, но женское внимание с ними не связано, в этом Игорь не сомневался. На лбу у него не написано, что он богат, ездит он на скромненьких «Жигулях», а то и вовсе на метро, работает художником-оформителем в крупном издательстве. То есть вовсе даже не банкир и не звезда шоу-бизнеса. Деньги достались ему в наследство, большие, хорошие деньги, и тратил он их размеренно и аккуратно, чтобы хватило на долгие годы, не швырял и не проматывал, не шлялся по ночным клубам и казино.

У него было Дело. Если Дело требовало, Игорь мог потратить любую сумму, никакие деньги не казались ему слишком большими для его любимого Дела. А женщины... Что ж, он покупал цветы, маленькие подарки, если нужно — водил в ресторан, то есть ухаживал красиво, но без излишеств. И потом, женщины у него подолгу не задерживались, он легко сходился с ними и так же легко расставался через три-четыре месяца, а то и раньше. Все зависело от того, сколько времени очередной возлюбленной удавалось принимать его таким, какой он есть, не произнося сакраментальных слов «я запрещаю тебе...». Некоторые, совсем уж дуры, ухитрялись сказать это уже на второй день, и им тут же указывали на дверь. Но в основном, Игорь заметил, попытки что-то запретить начинались через три-четыре месяца. Вероятно, именно столько длится у женщин инкубационный период, в течение которого вызревает и оформляется мысль о том, что этот парень (то есть он, Игорь Савенков) уже никуда не денется и можно начать лепить из него то, что, по мнению женщины, ее в наибольшей степени устроит. Игорь не был самодуром и при первом «я запрещаю тебе...» мягко объяснял, что никаких запретов, кроме божеских, отраженных в Уголовном кодексе, не признает и просит больше так не говорить. При втором же произнесении заветных слов прекращал отношения. Ну в чем дело, в конце-то концов? Он же ясно все объяснил, русским языком. Она что, тупая? Или глухая? Ни тупых, ни глухих ему не нужно, пусть катится куда подальше.

Игорь медленно обошел квартиру, заглядывая в каждую комнату, в кухню, в ванную. Его дом — его дворец, не крепость, а именно дворец. Он царствует здесь безраздельно, он ни от кого здесь не прячется, он просто живет, но живет по своим законам и не позволяет никому соваться сюда с собственным уставом. Нет, не жаль ему ушедшей женщины и разорвавшихся отношений. Ушла эта — придет другая.

Остановился перед зеркалом и окинул себя привычно критическим взглядом. Ничего хорошего, и глаза невыразительные, и нос слишком большой, и волосы какие-то не такие... Совсем не красавец. Но бабам отчего-то это не мешает. Наверное, есть в нем что-то эдакое, что компенсирует и отсутствие мужской привлекательности, и довольно-таки средний достаток.

Он вошел в спальню, снял постельное белье и аккуратно сложил в большую спортивную сумку. Сегодня же надо отнести его в прачечную. Хотя белье, в сущности, совсем свежее, он постелил его только позавчера, но, коль эта женщина больше здесь не появится, белье следует снять и выстирать. И тщательно проверить всю квартиру на предмет дурацких мелочей, которые бабы обычно притаскивают в квартиры своих холостых любовников, всякие там халаты, зубные щетки, расчески и дезодоранты. Игорь таким образом вычищал свое жилище каждый раз после разрыва с очередной пассией. Он не был сентиментален, он был прагматичен. Во-первых, в доме не должно быть вещей, которыми никто не пользуется. Во-вторых, каждая такая вещь, будучи обнаруженной в неподходящий момент, может помешать развивающимся отношениям с новой подругой.

Уборка заняла почти полчаса, квартира большая, и нужно было проверить каждую полочку в каждом шкафу. Он не любил неожиданностей вообще, а неприятных — тем более. Мелочей, оставленных последней подругой, набралось почти на полный пакет, который без малейших сожалений был отправлен в мусоропровод. Вот теперь можно принять душ, переодеться, футболку и джинсы, к которым она прижималась своей надушенной одеждой, засунуть в стиральную машину.

И заняться наконец Делом.

НИКА

Из восьми живых душ, вверенных моему попечению, самым приличным был Аргон. Добродушный, спокойный и рассудительный, он был к тому же наделен потрясающей чуткостью и способностью к сопереживанию. Уже на второй день проживания в своем новом доме я с уверенностью отдала ему первое место по человеческим и душевным качествам. На этом почетном месте Аргон пребывает и по сей день.

Номером вторым шел Патрик. Абсолютно непослушный, но, как ни странно, отважный и честный. Сотворив какую-нибудь пакость, он не убегал и не прятался, а нагло смотрел на меня широко расставленными глазами и мужественно ждал наказания. Наказать его, по совести говоря, очень хотелось, или запереть в темный чулан, или отшлепать от всей души, но я пасовала перед его нахальной отвагой. Может, именно это безрассудное нахальство и подкупало меня, а может, дело было в том, что Патрик часто болел и мне постоянно приходилось заниматься его лечением, что, как известно, стимулирует чувство привязанности. Так или иначе, но он стоял в моей иерархии следующим после Аргона.

Третьей была Кассандра, она же Кася. Высокомерная, целомудренная и жеманная. Эдакая благородная девица из пансиона. С точки зрения общепринятой педагогики, у нее был один недостаток, всего один, но, на мой взгляд, существенный: она ябедничала. С чувством собственного достоинства и завидной методичностью Кася «стучала» на Патрика. Только на Патрика и никогда — на Аргона, которого, как старшего по возрасту, она снисходительно терпела. Патрика же, самого младшего, Кассандра ненавидела, и, как я подозреваю, ненавидела люто. Но, будучи особой элегантной и воспитанной, не позволяла себе проявлять свои чувства слишком уж демонстративно, ограничиваясь мелким доносительством. При этом была она так невыносимо красива, так совершенна и гармонична, что я прощала ей все. Я просто не могла на нее сердиться.

Эти трое — Аргон, Патрик и Кассандра — не воспринимали меня как прислугу, именно поэтому им были отданы первые три места в моем сердце. С остальными пятью жителями этой огромной квартиры дело обстояло куда сложнее.

На четвертом месте стоял Николай Григорьевич, или, как я его называла про себя, Старый Хозяин. Было у него еще одно прозвище, которое я, разумеется, никогда не произносила вслух: Главный Объект. Именно из-за его больного сердца семье Сальниковых и понадобилась помощница «с проживанием», желательно умеющая распознавать развивающийся приступ и оказывать первую помощь, а наличествующая язва желудка требовала жесткой диеты и, соответственно, человека, выполняющего функции поварихи и диетсестры. Главной моей задачей было не оставлять Старого Хозяина дома одного. Ни при каких условиях и ни под каким предлогом. Так, во всяком случае, сформулировали цель моего найма. Уже потом, спустя пару недель, я поняла, что на самом деле мне придется не просто следить за самочувствием Главного Объекта, но и охранять его от всяческих волнений и переживаний, которые могут спровоцировать приступ. Но это уже потом...

Семидесятилетний Николай Григорьевич был чудным стариканом, некапризным и неприхотливым. И очень больным. Это я вам как врач говорю. Он прожил длинную и во всех отношениях достойную жизнь, был долго и счастливо женат, овдовел всего год назад, и портрет его покойной супруги Аделаиды Тимофеевны висел в его комнате. О своей Адочке он мог рассказывать часами, и уже к концу первого месяца моего пребывания у Сальниковых я точно знала, что «при Адочке все было не так». Я слушала его рассказы, смотрела на портрет женщины с жестким взглядом и сурово поджатыми губами и делала выводы. Адочка держала семью в железном кулаке, при ней никто и пикнуть не смел, у каждого был свой круг обязанностей, за исполнение которых строго спрашивалось. Никогда не вставал вопрос, кому идти за хлебом или кому пылесосить ковры. Шестеро членов семьи были организованы в идеально отлаженный механизм, не дающий сбоев. Все любили друг друга, заботились друг о друге, и, конечно же, дедушка, сиречь Главный Объект, никогда не оставался один. Каждый день за ужином вся семья собиралась вместе, отсутствовать разрешалось только тем, кто пошел в театр или уехал в командировку или в отпуск. Даже поход в кино не считался уважительной причиной для отсутствия за ужином, ведь понятно, что театральные спектакли начинаются в семь вечера, и тут уж ничего не поделаешь, а в кино можно сходить и днем, и попозже вечером.

После смерти Адочки все пошло наперекосяк, и с этим бедный Николай Григорьевич никак не мог смириться. Он не понимал, почему так трудно стало устроить, чтобы кто-нибудь непременно был дома, почему вдруг оказывается, что нет хлеба или закончилось масло, и почему семья перестала собираться за ужином. Он не понимал... Но я-то понимала. Произошла нормальная реакция «отката». Сжатая до предела властной Адочкиной рукой пружина распрямилась и расшвыряла всех по разным углам. Теперь каждый член семьи, кроме Старого Хозяина, жил так, как хотел, им надоело быть винтиками в сложном механизме, сконструированном Аделаидой Тимофеевной, они возжелали побыть самостоятельными единицами. Всех всё устраивало, но... Был общий дом, который надо содержать в порядке. Была кухня, на которой желательно иметь приготовленную вкусную еду. Был дед. И с дедом надо сидеть. И никто не хочет жертвовать своими планами. Поэтому было решено пожертвовать деньгами и одной комнатой, бывшим кабинетом Адочки.

На пятом месте, следом за Николаем Григорьевичем, находился его сын Павел, Павел Николаевич Сальников. По моей личной классификации он относился к категории Гомеров, и не потому, что был гениальным рассказчиком или поэтом, а потому, что был Великим Слепцом. Я обожаю таких мужиков, они встречаются довольно часто и дают мне массу поводов для гомерического хохота. Правда, хохот этот бывает чаще горьким, нежели веселым, но все-таки... Великий Слепец — это человек, который категорически отказывается видеть то, что есть на самом деле. Это не дефект зрения, это характер такой. С Великими Слепцами легко ладить, достаточно всего лишь не заставлять их видеть и понимать то, чего они видеть и понимать не хотят. Но бог мой, как же трудно с ними жить!

Наш Слепец являл собой красивого мужчину сорока четырех лет, начальника отдела в какой-то фирме, торгующей кондиционерами. С тем, чтобы угодить ему с кормежкой, у меня проблем не было, он все равно не видел, что лежит на тарелке, потому как питался, уткнувшись в телевизор. Ему было абсолютно безразлично, насколько тщательно вытерта пыль и есть ли потеки на оконных стеклах. Он не видел вокруг себя ничего, в том числе и меня. По-моему, он даже не понял, что в семье появилась домработница, во всяком случае, ни с какими просьбами и поручениями он ко мне не обращался, а если ему что-то было нужно, он либо покорно ждал, пока кто-нибудь ему это сделает, либо оставлял свою потребность неудовлетворенной. О том, чтобы сделать это самому, вопрос как-то не стоял. Помнится, в один из первых дней я подала ему после ужина чай и забыла положить ложечку, чтобы размешать сахар. Гомер минут пять молча сидел над дымящейся чашкой, не отрывая глаз от телевизионного экрана, и я очнулась только тогда, когда обнаружила, что он помешивает в чашке черенком вилки. А ведь мог или меня попросить, или оторвать задницу от стула и сам взять ложку. Никто не принес — ладно, обойдемся... Главное, чтобы его никто не трогал, чтобы никто не приставал, чтобы ни с кем не нужно было разговаривать. Из рассказов Старого Хозяина я уже знала, что «при Адочке» ежевечерние отчеты о прошедшем дне были обязательными, при этом особо пристальное внимание уделялось именно сыну, он являлся для матери первоочередным объектом критики, ему без конца давались советы, и ему постоянно предъявлялись всяческие требования. И вот результат. Теперь Великий Слепец не стремится ни во что вникать и не хочет, чтобы к нему лезли.

Зато жена у Гомера более чем зрячая. Она не просто все видит, она видит даже то, чего и в природе-то нет. Знаете, есть такая категория людей, которые во всем сразу подозревают наихудшее. Если пошел дождь, то он непременно «будет теперь идти всю неделю», а если кто-то сказал комплимент, то к гадалке не ходи — «подлизывается, ему от тебя что-то нужно». У таких людей рюмка водки, выпитая после прогулки на тридцатиградусном морозе, — прямой путь к алкоголизму.

Вообще-то, Наталья Сергеевна мне нравится, во всяком случае, в ней нет ничего такого, что вызывало бы у меня явственное отторжение. Да, она относится ко мне как к прислуге, заваливает массой указаний и поручений, но ведь это моя работа, я за нее деньги получаю. Так что я не в претензии. И потом, она все-таки помнит, что прислуга — это не порода домашних животных и не разновидность бытовой техники, прислуга — это наименование должности, в которой состою я, Ника Кадырова. И у меня, как и у любого человека, есть такие вещи, как настроение, состояние здоровья, желания и потребности. Мадам (именно так я зову про себя Наталью) все это понимает и даже иногда пытается с этим считаться. Правда, далеко не всегда у нее это получается.

На двух последних местах в моей иерархии стоят детки — студент Денис и школьница Алена. Эта парочка на удивление быстро приспособилась к тому, что в доме есть домработница.

Денис — сын Натальи от первого брака, отчество у него Владимирович и фамилия — Писаренко, а не Сальников. Алена же общая дочь Гомера и Мадам. Как эти двое меня достали... В страшном сне не приснится.

* * *

Самое трудное в моей новой работе — пережить утро в будний день. Первым, около половины восьмого, уходит Денис, ему долго добираться до института. В восемь двадцать убегает в школу Алена, без четверти девять отбывает Гомер, последней отплывает Мадам. К моменту ее ухода я должна успеть не только покормить всех завтраками (каждого — в свое время и по индивидуальному меню), но и выгулять Аргона, и сходить в магазин, и купить все, что нужно на предстоящий день. Это не зверство хозяев, а суровая необходимость: когда все разойдутся по местам службы и учебы, я не смогу уйти и оставить Николая Григорьевича одного. Таково было самое первое и главное условие моего найма.

Утреннее кормление личного состава — это целая эпопея, расскажу подробнее, чтобы было понятно. Старый Хозяин просыпается в шесть утра, минут через десять, после того, как он умоется и побреется, я должна принести ему чай с какой-нибудь плюшечкой, намазанной маслом. В семь питается Денис, причем обильно так, от души, котлетой или куском мяса с гарниром, желателен салат. В восемь кормится Алена, но назвать это кормлением можно с большой долей условности. Девица помешана на манекенщицах и стремится стать такой же худой и плоской, как они, для чего, по ее мнению, нужно не есть вообще, а если что-то принимать внутрь, то исключительно руководствуясь рекомендациями опытных «похудистов». Завтрак Алены состоит из стакана кефира нулевой жирности и куска подсушенного в тостере «Бородинского» хлеба. Никакой другой кефир и никакой другой хлеб тут не проходят, и если я не обеспечу наличие требуемого продукта, будущая манекенщица уходит в школу голодной и с таким выражением на лице, какого вам, дорогие мои, лучше не видеть. И, разумеется, вечером мамочке всенепременно будет сообщено о том, что домработница не позаботилась о завтраке, и вообще неизвестно, чем она целыми днями занимается и за что ей деньги платят. Я ничего не выдумываю, своими ушами слышала.

В восемь пятнадцать в кухню вступает Гомер, который ест, в принципе, то же самое, что и Денис, только все это нужно снова греть. Без четверти девять, проводив нежной улыбкой мужа и закрыв за ним дверь, выплывает в шелковом пеньюаре Мадам, истово борющаяся за сохранение и максимальное продление молодости и красоты. Отсюда и требования к завтраку: овсяная каша на воде, несколько кусочков свежего ананаса (купить и почистить который должна я), салат, состоящий из салатных листьев, горсти сухих овсяных хлопьев и черной смородины или любых мелко порезанных фруктов, содержащих витамин С. Плюс сваренный в турке кофе без кофеина.

С моей точки зрения, в таком завтраке не было ни малейшего смысла, я не спорю с полезностью овсянки, но если присутствует каша, то зачем еще и сухие хлопья? И если есть ананас, в котором витамина С выше крыши, то к чему салатные изыски? Но первая же моя попытка объяснить это Мадам натолкнулась на жесткую позицию: «Вы, Ника, не диетолог и ничего не понимаете». Я пробовала разговаривать и с Аленой по поводу того, что, кроме обезжиренного кефира и высушенного хлеба, существует масса других продуктов, столь же малокалорийных и неопасных для объемов талии. Ответ был таким же категоричным, но куда менее вежливым. И только длительные беседы со Старым Хозяином вразумили меня. Все дело было в Адочке, которая искренне полагала, что только она одна знает, как правильно питаться, и заставляла всю семью съедать по утрам обильные и калорийные завтраки, причем непременно с супом. Теперь же народ пошел вразнос, и если мужчины просто набивали утробу, то женская часть населения следовала вычитанным в дамских журналах полушарлатанским рекомендациям. И потом, суп на завтрак — это так провинциально! Мы же хотим быть европейскими людьми... Откуда в их головах появилось такое представление о провинциальности и европейскости — сказать трудно. Но оно появилось, пустило корни и расцвело, и с этим уже ничего не поделаешь.

Поход в круглосуточный магазин можно совмещать с выгулом Аргона, но в какой промежуток времени воткнуть это мероприятие? Между чаем Старого Хозяина и котлетами Дениса? Или между котлетами и обезжиренным кефиром? И в том, и в другом случае у меня примерно пятьдесят минут, в течение которых нужно быстренько одеться, домчаться до магазина, все купить, примчаться, раздеться и спроворить очередной завтрак.

Я пыталась экспериментировать, например, ходила в магазин вечером, когда хоть кто-то приходил домой. В этом был свой резон, но и свои сложности. Однажды я решила воспользоваться тем, что Алена явилась после школы, пообедала и устроилась в гостиной с книжкой, а не собралась, как обычно, куда-нибудь с подружками.

— Ты побудешь дома в течение часа? Я схожу в магазин.

— Я через десять минут ухожу, — ответила Алена, не поднимая глаз от книги.

Через полчаса, закончив на кухне лепить пирожки с мясом, я заглянула в гостиную. Алена сидела в той же позе и, судя по всему, никуда не собиралась.

— Я не поняла, ты будешь дома или уходишь? — настойчиво спросила я. — Мне нужно выкроить время, чтобы сходить в магазин, я утром не успеваю.

— Я жду звонка, — холодно ответила она. — Как только мне позвонят, я тут же пойду.

«Как же, позвонят тебе, — сказала я маленьким язычком. — Никто и не собирается тебе звонить. Тебе просто нравится чувствовать, что я, взрослая тетка с высшим образованием, попала в зависимость от такой сопли, как ты».

А большим языком произнесла:

— Если тебе позвонят и выяснится, что тебе не нужно уходить прямо сейчас, ты меня, пожалуйста, поставь в известность. Я все-таки хотела бы сходить в магазин.

— Ничего, не убежит ваш магазин. Сходите, когда мама или папа придут. Или Дениска.

Хороший ответ. Папа раньше девяти не является, и его нужно будет сразу же кормить. Мама — человек свободной профессии, дизайнер-архитектор, мотается с утра до вечера по клиентам, объектам и торговым точкам, сочетая все это с общением с подругами и посещениями оздоровительных центров и салонов красоты, так что раньше десяти ждать ее не приходится. На Дениса вообще надежды никакой, если Гомер и

Мадам хоть и поздно, но наверняка придут домой, то с нашим студентом ничего заранее сказать нельзя. Во-первых, у него есть подружка с собственной квартирой, где он частенько остается ночевать. Во-вторых, существует такая вещь, как дискотеки и ночные клубы, откуда раньше двух часов ночи молодежь не возвращается. Итак, при самом удачном раскладе, если Гомер явится в девять и к половине десятого я освобожусь, можно бежать за покупками, но есть опасность, что именно в это время придет Наталья и, конечно же, будет страшно недовольна, что меня нет и некому немедленно подать ужин. То же самое и с Денисом, если меня не окажется на месте, он будет фыркать и нудеть. Остается ждать, пока придут все, и переться в магазин ночью.

Что ж, тоже вариант. Я решила попробовать. Отужинав всех по очереди и наведя на кухне стерильный порядок, я в двенадцатом часу ночи отправилась за продуктами. Надо ли говорить, что Алена, разумеется, никуда не уходила. Сперва она читала, потом делала уроки, потом торчала перед телевизором. И никто ей не позвонил.

Круглосуточно работающий супермаркет находился в пятнадцати минутах ходьбы от дома, то есть, в общем-то, не ближний свет. На всякий случай я взяла с собой Аргона. Конечно, охранник он тот еще, он, по-моему, даже лаять не умеет, но по крайней мере может напугать внешним видом: огромный черный русский терьер с лохматой мордой. На нем же не написано, что он залюбленный и заласканный добрейший пес, сроду не видавший ни инструктора, ни собачьей площадки.

Меня легко обмануть. Я плохо разбираюсь в людях и никогда не могу вовремя распознать склонность ко лжи, трусости или подлости. Но за годы работы на «Скорой» у меня выработалось одно замечательное качество, впрочем, возможно, оно было у меня изначально, иначе я бы просто не прижилась на «скоропомощной» работе. Я абсолютно точно чувствую агрессию. Приезжая на вызов и обнаруживая пьяного мужа, избившего, например, жену, я могла мгновенно определить, исходит ли от него хоть какая-нибудь опасность. Если сомнительных личностей оказывалось несколько, я тут же мысленно делила их на тех, кто не опасен, и тех, от кого можно ждать внезапной вспышки ярости в адрес каких-то там докторов, которые нарушают так приятно текущий процесс совместной выпивки. Такие «пьяные заявки», как мы их называли, случались в каждое дежурство. Надо ли объяснять, что в защите от пьяной агрессии я хорошо натренировалась. С трезвым мужиком я, само собой, не справлюсь — ни роста, ни массы тела у меня не хватит, зато ловкости и хладнокровия вполне достаточно, чтобы обезопасить себя от раскоординированного алкоголем субъекта.

Этих двоих я заметила сразу. Они стояли на автобусной остановке, рядом с входом в супермаркет. Средняя степень опьянения и жгучее желание «добавить», причем как можно быстрее. Добавлять они собирались, естественно, на чужие деньги, поскольку своих просто не было.

Рядом ни души, и вся предстоящая картинка рисовалась мне четко и буднично. Приличные дамы не ходят пешком в магазин в половине двенадцатого ночи, и со мной можно попытаться договориться. Пригласить третьим номером. А уж потом, когда я откажусь поучаствовать в распитии, у меня начнут отбирать сумку в надежде обнаружить там кошелек с деньгами. Если бы не было сумки, можно было бы сделать вид, что я просто гуляю с собакой и никаких денег у меня с собой нет. Но сумка, как назло, была.

Я прибавила шаг и проскользнула в стеклянные двери супермаркета, оставив Аргона непривязанным (в целях экономии времени). Но толку от моего маневра было не слишком много, возжаждавшие добавки алкаши будут терпеливо ждать, когда я выйду с сумками, набитыми едой. Закуска — тоже нужная вещь. А может, им повезет, и я куплю спиртное. Я-то знаю, что им не обломится, но они пока пребывают в счастливом неведении. И что будет дальше?

А дальше, если все сложится так, как мне не хочется, в самый неподходящий момент подскочит милиция, или я сделаю что-нибудь не так, и придется вызывать «Скорую». Поход в отделение, проверка документов и далее везде. Мои хозяева меня у себя не зарегистрировали и, насколько я поняла, делать этого не собираются. Я ведь им не родственник.

Набирая в корзинку продукты, я прикидывала варианты. Что так, что эдак, выходило, что без осложнений не обойтись. На магазинного охранника надежды никакой, он отвечает за порядок внутри, а не снаружи. Что ж, будем прорываться с боями. Спасибо тебе, темноглазая стройная Алена, тебе всего шестнадцать, а ты уже умудряешься своей вредностью ввергать людей в неприятности. Что-то будет, когда ты вырастешь?

Расплатившись, я набрала в грудь побольше воздуха и толкнула тяжелую дверь. Так и есть, вот они, любимые мои алкаши, сколько я их перевидала на своем веку — не перечесть. Стоят, на меня поглядывают. Ну, чему быть, того не миновать.

Оно и не миновало. Только обошлось без разговоров, видно, Аргоновы поросшие густой шерстью килограммы их как-то не вдохновили на общение. Они решили, что действовать надо быстро и без лишних слов. Это было разумно, я тоже предпочитаю действовать именно так. Возня получилась шумноватой, но короткой. Мне пришлось бросить сумки на землю, но у Аргона хватило ума тут же плюхнуться на них сверху.

Ладно, не защитит — так хоть хозяйское добро сбережет. Правда, в этом месте была грязная лужа, но это ничего, полиэтиленовые сумки-пакеты не промокают. Аргон тоже не сахарный, не растает.

Тактика алкашей была мне понятна. Один выхватывает из рук сумки с будущей закуской, одновременно второй будет срывать с плеча сумочку в надежде на кошелек с деньгами. Ну, насчет кошелька они, положим, погорячились, я давно уже плюнула на элегантность и перекидываю ремешок сумки через шею. Получается по-детски, но зато эффективно. Так что за деньги можно пока не беспокоиться и сосредоточить основное внимание на том, который собрался покуситься на продукты. Для этого нужно всего лишь бросить сумки и подождать, пока он за ними нагнется. Тут и Аргон подоспел со своим хозяйственным рвением, так что все получилось даже проще, чем я предполагала. Охотник за вкусненьким растерялся, он не ожидал от собаки такой прыти, и мне вполне хватило времени, чтобы ударить второго, тянущегося к сумочке, своим любимым ударом ребром ладони снизу в нос. Этот удар у меня всегда получался особенно хорошо. Он почти не травмирует, но жутко болезненный.

Другого, который зачем-то пытался вытащить сумки из-под Аргона, оказалось достаточно всего лишь пнуть ногой. Он стоял согнувшись и равновесия не удержал. Теперь главная задача — смыться, пока они не очухались.

Аргон, однако, моих стратегических намерений не отгадал и продолжал с удовольствием валяться на сумках. Я изо всех сил тянула его за ошейник и приговаривала что-то бессмысленное в надежде убедить пса пошевеливаться. Пошевеливаться он не хотел: Он хотел лежать и нюхать колбасу, сыр и сырую печенку. В общем-то, я его понимала...

Алкаши, грязно матерясь, собирались с силами для второй попытки. Тот, который получил удар в нос, все еще был плоховат, но второй уже стоял на ногах и тянул ко мне шаловливые ручонки. Аргон продолжал лежать и охранять вкусное. Меня охватила злость. Да что же это, все семейство Сальниковых ополчилось против меня: девчонка вынуждает ходить по улицам среди ночи, а собака не дает убежать от грабителей! В ярости я ткнула настырного алкаша локтем в солнечное сплетение, хорошо еще, что соотношение роста у нас оказалось удачным, и бить было удобно.

— Аргон, домой! — завопила я, дергая флегматичного ленивца за хвост.

Почему-то это подействовало. Пес вскочил как ужаленный и с обидой посмотрел на меня. Да бог с ним, пусть обижается, лишь бы ноги унести.

Ноги мы унесли. Но повторения пройденного как-то не хотелось. Пожалуй, ходить в магазин «в ночную смену» я больше не стану, уж больно район здесь непотребный.

Но то, что ждало меня дома, не шло ни в какое сравнение с эпизодом возле магазина. Дело-то было осенью и не в той ее части, когда в городе золотисто и сухо, а в той, когда уже серо, мокро и грязно.

— Ника, почему сумки все в грязи? — сердито спросила Мадам, едва я переступила порог. — Вы что, упали?

«Ладно, думай, что я упала, если не видишь, что у меня куртка чистая», — ответила я маленьким язычком.

Большим же языком, то есть вслух, ничего произнести не успела, потому что взгляд Мадам упал на Аргона, радостно ринувшегося обниматься с ее расчудесным кремовым халатом.

— Ника, я же вас предупреждала, не давайте Аргону валяться! Вы что, совсем за ним не смотрите? Ведите его немедленно в ванную и вымойте как следует. Черт знает что!

— Наталья Сергеевна, я не упала и не позволяла Аргону валяться, ко мне пристали пьяные грабители, и мне пришлось отбиваться. Извините, что так вышло, но сумки пришлось поставить на землю, и я не уследила за собакой.

Я не оправдывалась, но и скрывать правду смысла не видела.

— Какой кошмар! — переполошилась Мадам. — Зачем же вы пошли в магазин ночью? У нас такой район нехороший, всего несколько приличных домов, а в остальных живет всякая рвань и пьянь.

Вопрос мне понравился. Действительно, зачем я пошла в магазин ночью? Чтобы не суетиться рано поутру. Я ведь собиралась купить продукты днем, но Алена меня не пустила. А потом нужно было ждать вас всех по очереди и обслуживать горячим питанием, причем каждого — по отдельному меню, потому что одни метут в три глотки, другие худеют, третьи оздоравливаются и омолаживаются, а у Главного Объекта, помимо больного сердца, имеется еще и больной желудок.

А мизансцена-то была прелестной! Я стою посреди просторной прихожей и держу одной рукой сумки, которые ввиду их испачканности нельзя ставить на пол, другой придерживаю за ошейник Аргона, стремящегося к теплу и уюту бежевого ковра в гостиной. Наталья громко и возбужденно разговаривает со мной. Великий Слепец сидит в двух метрах от меня и не отрывается от газеты. Дениса не видно — наверное, сидит за компьютером в своей комнате. А вот Алена стоит тут же, за спиной у матери, прислонившись к дверному косяку, и насмешливо смотрит прямо мне в глаза. Особенно мне понравилось выражение ее лица, когда Мадам заверещала, что мне следовало бы сходить в магазин днем, когда девочка пришла из школы. Ух, какое это было выражение! Жаль, что я не Франсуаза Саган, у нее такие описания очень яркими получаются.

— Ты слышишь, Паша? — Наталья обернулась к мужу и попыталась разговаривать с ним через газету, надежно укрывшую его лицо. — На Нику напали возле нашего супермаркета. Ужас!

Газета слегка шевельнулась, но не более того.

— Надеюсь, это не помешало вам купить мне кефир? — вежливо спросила Алена.

— Не помешало, — так же вежливо ответила я, пытаясь одной рукой удержать сумки, а другой запихнуть Аргона в ванную и при этом ничего не испачкать.

Никому из присутствующих, разумеется, и в голову не пришло мне помочь и взять либо сумки, либо собаку. Ну конечно, Мадам вся в кремовом, дщерь вся в надменности, Гомер весь в заботах о судьбах внешней политики страны. Мадам, однако, надо отдать ей должное, вдруг спохватилась:

— Алена, ну как не стыдно, с Никой такое случилось, а ты про кефир спрашиваешь.

— Не нужно по ночам из дома выходить, тогда ничего не будет случаться, — ответила та и ушла к себе.

Ну что ж, резонно. С этим не поспоришь. Вот сучка, а?

В два часа ночи, лежа в постели в своей маленькой комнатушке, я сначала приняла решение больше без острой необходимости ночью в магазин не ходить, а потом тихонько заплакала. Как же так случилось, что из вполне благополучной, любимой, любящей и радующейся жизни женщины я превратилась в никем не любимое, зависимое существо, над которым безнаказанно может измываться шестнадцатилетняя соплячка? Все понимают, что деваться мне некуда, жить мне негде и положение у меня аховое. Но одно дело понимать, и совсем другое — пользоваться этим.

Из пятисот долларов, которые мне выдают в качестве зарплаты, я имею право тратить не больше пятидесяти. На зубную пасту и прочую необходимую косметику, на колготки, на междугородные звонки сестре в Ташкент, а также родителям Олега, которые не знают, что он меня бросил, и не должны узнать — они этого не переживут. Они уже старенькие и больные, они очень меня любят, и такой, мягко говоря, странный поступок сына подкосит их под корень. Оставить меня без средств к существованию, одну в чужом городе, и это в благодарность за то, что я выходила отца после тяжелейшего инфаркта, — нет, они этого не поймут. И я добросовестно звонила, как и прежде, два раза в неделю, врала, что Олег на работе, и выслушивала длинные и подробные отчеты о состоянии здоровья свекра и свекрови. И ведь не могу им сказать, что долгие разговоры влетают мне в копеечку: Олег же хорошо зарабатывает, какие могут быть проблемы! Олег знает, что я им звоню, мы с самого начала договорились не травмировать стариков.

Так вот, если жить на пятьдесят долларов, не покупать ни одежду, ни обувь и откладывать по четыреста пятьдесят в месяц, то через сорок месяцев я смогу начать искать какое-нибудь дешевое жилье километрах в семидесяти, а то и ста от Москвы. Сорок месяцев, почти три с половиной года. А если за это время цены на недвижимость вырастут? А если мне не удастся продержаться в режиме такой экономии? А если со Старым Хозяином что-нибудь случится и я стану больше не нужна? Или меня просто уволят, потому что я не подхожу, или найдется человек, готовый выполнять ту же работу за меньшие деньги? Или Мада́м на меня рассердится за что-нибудь.

Я должна продержаться. Сцепить зубы и терпеть. Всем угождать, быть белой и пушистой и тщательно оберегать сердце и нервную систему Николая Григорьевича. Его жизнь и здоровье — залог моего благополучия.

В ДОМЕ НАПРОТИВ

— Это его жена, точно, — уверенно сообщил Костя отцу. — Смотри, она там живет и гуляет с собакой.

— А ты уверен, что собака — та самая?

— Ну, пап, мы уж сколько времени за домом наблюдаем, никто с русским терьером не гуляет, только эта баба. На всей улице мы с тобой ни одного такого пса больше не видели.

— Все равно надо бы проверить, — задумчиво сказал Леонид Васильевич. — Мы не имеем права ошибиться. Ты не помнишь, как звали его собаку?

— Вадька говорил, что-то химическое, он не помнит точно, не вникал, когда тот про собаку рассказывал. Ему не до того было. Только обратил внимание, что слово из таблицы Менделеева, какой-то газ. Ну хочешь, я завтра подойду к ней и спрошу, как зовут собаку?

— Обязательно подойди, — кивнул отец.

На следующий день Костя вскочил в пять утра, он уже знал, что женщина выходит с собакой то в начале седьмого, то в начале восьмого. Позавтракал, собрал учебники и спустился вниз. Шел дождь, холодный и безысходный, как жизнь приговоренного к казни. Господи, как он ненавидел этот грязный, пропахший кошачьей мочой подъезд с облупившейся краской на стенах и обгрызенными ступеньками лестницы!

А вот и женщина с черным терьером. Идет быстро, словно по делам спешит, а не пса выгуливает. Костя выскочил из подъезда и кинулся через дорогу следом за ней.

— Ух, какой красавец! — Он постарался вложить в голос побольше восхищения. — Это у вас мальчик или девочка?

— Кобель, — улыбнулась женщина, не замедляя шага.

— И сколько ему?

— Шесть лет.

Терьер, будто поняв, что речь идет о нем, притормозил, внимательно поглядел на Костю и внезапно лизнул его руку. Костя тут же воспользовался моментом и присел перед псом на корточки.

— Ах мы какие ласковые! Ах мы какие славные! И как же нас зовут?

— Нас зовут Аргон. — Женщина нетерпеливо потянула за поводок. — Простите, но я очень спешу.

— Конечно-конечно, извините, — торопливо произнес Костя.

Теперь можно было не спешить. Пусть жена его Врага (или кем там она ему приходится) топает по своим неотложным делам. Он узнал то, что хотел. Инертный газ аргон, все сходится. Отец может не сомневаться.

Глава 2

НИКА

— Николай Григорьевич, почему вы не отдавали Аргона на выучку? — спросила я на следующий день после происшествия возле супермаркета.

— Гошеньку?!

Старый Хозяин воззрился на меня так, словно я спросила юную курсистку с нежными розовыми ушками, почему она не участвует в групповом сексе.

— Его бы там били, — с непоколебимой уверенностью ответствовал Главный Объект. — Вы разве не знаете, как инструкторы ломают собак? Нет, об этом не могло быть и речи. Адочка всегда была против этих бесчеловечных методов.

Ну ясное дело, Адочка была против. Необученный и не признающий никаких команд Аргон в свои шесть лет продолжал с детской непосредственностью жевать все подряд, включая книги, обувь и перчатки, и в мои обязанности входило следить, чтобы он не наносил хозяйскому имуществу ущерб. При жизни Аделаиды Тимофеевны эта милая особенность собачьего характера особого беспокойства не доставляла, поскольку кто-то постоянно находился дома, дабы бдить за здоровьем Старого Хозяина, и любые попытки Аргона попробовать на вкус что-нибудь новенькое в корне пресекались. За тот год, что семья прожила без железно руководящей Адочки, в список проблем оказались внесены не только несколько приступов, случившихся с Николаем Григорьевичем в отсутствие родных, но и приведенные в полную негодность любознательным и игривым терьером ботинки Дениса, лайковые перчатки Мадам,

Аленина шубка из нутрии и неосторожно оставленная на кухонном столе сберкнижка, на которую Главному Объекту начислялась пенсия. В моей циничной душе зародилось даже нехорошее подозрение насчет того, что на самом деле главным объектом должен был стать не Старый Хозяин, а именно Аргон, за которым нужен глаз да глаз и которого ни в коем случае нельзя оставлять без активного пригляда. Николай же Григорьевич такового обеспечить не может, ибо в основном пребывает в своей комнате, читает, смотрит телевизор или спит. Убежище свое он покидает только ради того, чтобы поесть на кухне, воспользоваться санузлом или взять в бывшем Адочкином кабинете (ныне — моей конурке) очередную книжку. Все это поражало меня до глубины души, ведь русские терьеры — собаки очень умные, это одна из наиболее интеллектуальных пород, их легко дрессировать, только начинать нужно, как полагается, в раннем возрасте. Аргон прекрасно понимает человеческую речь, я хочу сказать, что он различает и знает смысл довольно большого количества слов и, кроме того, тонко улавливает интонации и душевное состояние присутствующих. Но одно дело — понимать, что тебе говорят, и совсем другое — делать, что говорят. Он все понимал, но почти ничего не делал, если это не совпадало с его личными намерениями и желаниями. Он не понимал команду «Ко мне!», но отлично отзывался на «Иди сюда, будем кушать», он не признавал слова «Фу!», зато мгновенно реагировал на фразу «Брось эту гадость, возьми лучше колбаску».

— А кто гулял с Аргоном до меня? — настырно продолжала я допрос.

Вопрос не был праздным. Надвигалась зима, и надо быть полной дурой, чтобы, живя в Москве, надеяться на сухие чистые тротуары. Интересно, как я буду в гололедицу выгуливать эти сорок килограммов живого недисциплинированного веса, имеющего дивную привычку рвать поводок в самом неожиданном направлении и в самый неожиданный момент?

— Павлушенька гулял, это была его обязанность. Если он был в отъезде или болел, тогда Денис.

Н-да, сто килограммов Павлушенькиного веса, пожалуй, могли обеспечить прогулку без эксцессов. Да и Денис ростом и статью не подкачал. Куда мне до них...

— А почему не Алена и не Наталья Сергеевна? — Моему коварству не было предела, но я все-таки надеялась хоть на каплю если не сочувствия, то понимания.

— Ну что вы, Ника, они же слабенькие, они Гошеньку не удержат.

Козе понятно, что не удержат. И я не удержу. И кончится вся эта эпопея с зимними гулянками куда как невесело: либо я не удержу Аргона, и он сбежит, за что мне будет устроен скандал с перспективой увольнения, либо удержу его, но ценой жестокой травмы. Хорошо, если обойдется травмой какой-нибудь из четырех имеющихся конечностей. А если головы? У нас в Ташкенте гололедицы практически никогда не бывало, но и при сухих тротуарах подобные травмы — не редкость, сколько раз я на них выезжала!

Короче, с сочувствием и пониманием я пролетела. Но зато сделала одно любопытное наблюдение. Великий Слепец в свои сорок четыре года оставался для отца Павлушенькой. Алена была Аленушкой, Мадам — Наташенькой, даже Аргон — Гошенькой. А девятнадцатилетний Денис для деда был Денисом, а не Дениской и не кем-нибудь еще уменьшительно-ласкательным. Неужели Старый Хозяин до сих пор помнит, что Денис — не родной внук, что он не Сальников, а Писаренко? Если причина именно в этом, то к моему пониманию характера Николая Григорьевича добавляется еще одна черточка. Не очень симпатичная.

В своей правоте я получила возможность убедиться, когда появился Патрик. Это отдельная песня, и я ее с удовольствием пропою.

Первым в семье, как я уже упоминала, появился Аргон, это случилось шесть лет назад. Потом, спустя два года, приобрели Кассандру, роскошную британскую голубую с длинной, как призыв муэдзина, родословной. К моменту моего появления в Семье (а я привыкла думать о своем новом жилище, совмещенном с работой, именно так) между Аргоном и Касей установилось устойчивое разделение труда. Аргон считал «британку» таким же объектом заботы и любви, как и присутствующих двуногих, Кася же воспринимала терьера как элемент интерьера в ее персональных владениях. Аргон хотел дружить с кошкой, играть с ней и общаться, Кассандра требовала от него неукоснительного выполнения определенных функций. По ее представлениям, каждая вещь (в том числе и двуногая) в ее владениях была предназначена для чего-то полезного: синяя миска — чтобы насыпать туда корм, красная — чтобы в ней была водичка, кухонный стол — чтобы ставить на него белые миски с кормом, необходимым для жизнеобеспечения одушевленных деталей интерьера, мягкая мебель в гостиной — чтобы на ней лежать, растекаясь во все стороны серо-голубым плюшевым тельцем, биде в ванной — чтобы иногда (по настроению) пить из него проточную воду, двуногие мужского пола — чтобы лежать у них на коленках и нежиться под мерным почесыванием их пальцев, двуногие женского пола — чтобы покупать корм и вычищать кошачий туалет. И так далее. В этой обширной «инструкции по применению» для Аргона была уготовлена функция транспортного средства. Кася забиралась на стену и висела, цепляясь коготками за обои (пресекать это безобразие, кстати, тоже вменялось мне в обязанности, потому как обои приобретали от таких упражнений отнюдь не товарный вид) и выжидая, когда Аргон пройдет мимо. В нужный момент она спрыгивала ему на спину и ехала, испытывая, судя по всему, чувство глубокого удовлетворения. Иногда, правда, она промахивалась, если пес трусил мимо слишком быстро, и падала ему на хвост. Но это прагматичную девушку ни капли не смущало, она цеплялась лапами за этот короткий обрубок и волочилась следом, как мешок с картошкой у обессиленного грузчика. Больше, по ее кошачьему мнению, огромный бессмысленный пес ни на что не годился. Ну разве что поспать, свернувшись клубочком у него под брюхом, но редко, только когда в квартире очень уж холодно.

Однажды, где-то на исходе второго месяца моей жизни в Семье и примерно недели через полторы после злосчастного ночного посещения магазина, Алена явилась домой с крошечным пищащим комочком в руках. При ближайшем рассмотрении комочек оказался месячного возраста котенком мужского пола неопознанной породы.

— Он сидел перед подъездом и так жалобно плакал! — надрывно заявила черноокая надменница. — У меня прямо сердце чуть не разорвалось.

У меня, признаться, тоже. Во-первых, от жалости к несчастному, мокрому, дрожащему и пищащему существу. Во-вторых, от ожидания последствий. Я совершенно не понимала, что меня ждет. О том, чтобы выкинуть страдальца за дверь, и речи быть не могло, он явно нуждался в помощи. Но дальше-то что будет? Как отреагируют на его появление родители Алены? Заставят избавиться от пришельца? Могу себе представить, с какими душераздирающими рыданиями это будет сопряжено. Алена станет биться в истерике, Мадам будет орать, котенок — пищать, Гомер, как обычно, самоустранится. Моето дело телячье, я прислуга, что скажут, то и сделаю, хотя тоже, наверное, обрыдаюсь потом у себя в каморке. Но если скандал выйдет слишком громким, то проблема перейдет в иную плоскость — в плоскость нервов, а следовательно, и здоровья Главного Объекта. Дед услышит, спросит, что случилось... Разнервничается? Трудно сказать, я к тому моменту не настолько хорошо изучила своих хозяев, чтобы прогнозировать их реакции на те или иные события.

Конечно, все может быть и по-другому. Тихо, мирно и в полном согласии.

Так оно и вышло. Мне на голову.

До возвращения с работы Мадам и Гомера я успела привести подкидыша в более или менее пристойный вид. Окинув его взглядом бывалого кошковладельца (в Ташкенте у меня всегда жили кошки), я быстро определила, что он явно нуждается в медицинской помощи. Надо же, такой маленький, а уже такой больной! Впрочем, если он потерял маму сразу после рождения и ползал неизвестно по каким помойкам, то чему удивляться? Он был даже не облезлый, а какой-то обгрызенный. Одним словом, зрелище не для слабонервных.

Пока я кормила его размоченным в воде сухим «Хиллсом», позаимствованным из Касиной синей мисочки, мыла и сушила, Алена, натурально, висела на телефоне, поочередно обзванивая подружек и повествуя в красках историю своего триумфального дебюта в роли Женщины, Спасающей Животных. Ну что твоя Брижит Бардо, не меньше! А я тем временем обдумывала ситуацию и прикидывала, как лечить бедолагу. Можно отвезти его в ветлечебницу, но для этого нужно, чтобы кто-нибудь подменил меня дома. Можно вызвать ветеринара на дом, у Сальниковых есть свой звериный доктор, который пользует Аргона и Кассандру, его телефон записан на самом видном месте, чтобы я немедленно вызывала его, как только с породистыми питомцами случится, не приведи господь, что-нибудь неожиданное. Но визит ветеринара стоит денег, и вызывать его без ведома и разрешения Мадам мне не позволено, а уж тем более к какому-то приблудному коту. Впрочем, болячки у малыша имели характер не острых, а скорее хронических и вполне могли подождать денек-другой, пока все не устаканится.

Кася, разумеется, устроила сцену, как только почуяла присутствие в квартире собрата по семейству кошачьих. Она грозно мяукала, истерически фыркала, демонстративно втягивала носом воздух, высоко приподнимая верхнюю губу, а как только я попыталась познакомить ее с котенком, взяв того на руки и осторожно поднеся к ней поближе, Кассандра плюнула в меня. Да-да, плюнула. А вы что, не знали, что некоторые кошачьи породы отличаются умением плеваться? «Британцы» умеют. К сожалению.

Аргон отреагировал более спокойно и поступил привычным образом. Стоило мне отвлечься на каких-то пять минут, и малыш, старательно вымытый и высушенный, оказался обсосан дружелюбным псом и снова превратился в нечто клочкастое и мокрое. Пришлось его снова вытирать и подсушивать.

Первым в тот вечер пришел с работы Великий Слепец.

— Ну конечно, пусть остается, — рассеянно бросил он дочери, когда та взахлеб принялась рассказывать свою животноводческую драму.

Гомеру было все равно, он ел чахохбили, смотрел программу «Время» и хотел только одного: чтобы к нему никто не приставал. Мадам явилась в прекрасном расположении духа: как выяснилось, заказчик принял у нее работу и заплатил весь гонорар без всяких проволочек, посему на радостях Алену не отругали, а котенка разрешили оставить и даже позволили вызвать на следующий день ветеринара. Так что все обошлось.

Это я так думала, что обошлось. На другой день ветеринар, обследовав котенка, составил мне километровую пропись с перечнем препаратов и описанием процедур, которые надо проделывать, пока все не заживет, не зарастет и не пройдет, а потом еще в течение некоторого времени для профилактики. Надо ли говорить, что ездить в ветеринарную аптеку на Никольскую пришлось мне и процедуры проделывать тоже должна была я. Алена ограничилась лишь разовым проявлением внимания к страждущему, принеся котенка домой. На этом ее участие в жизни животных закончилось. Но самым страшным оказалась проблема туалета. Котенка, названного Патриком, нужно было приучать, а пока он не приучится — ежечасно находить и замывать с хлоркой те места, которые он по недоразумению принял за сортир. Чтобы не провоняла вся квартира, я выступила с инициативой ограничить ареал обитания, например, Алениной комнатой, раз уж та его усыновила, и встретила решительный отказ.

— Как я буду уроки делать и спать в комнате, в которой пахнет хлоркой? — возмутилась она.

— А где он, по-твоему, должен жить? — строго вопросила Мадам, которой тоже не хотелось, чтобы Патрик писал и какал в спальне и в гостиной. — Ты его принесла, ты должна нести за него ответственность.

— А ты — мать и должна нести ответственность за мое здоровье, — отпарировала девица. — Хлорка очень вредная, ты сама сто раз говорила. Пусть Ника быстрее приучает его к лотку.

— Ника старается, — Мадам решила выступить на моей стороне, спасибо ей за это, — но она не Юрий Куклачев и не обязана уметь дрессировать кошек.

— За такие деньги, какие мы ей платим, она должна уметь все! — сформулировала Алена свое отношение ко мне совершенно, как говорит один известный политик, однозначно и захлопнула дверь в свою комнату.

Так, сделаем выводы. Во-первых, это замечательное «мы ей платим». Похоже, девочка считает, что это именно она платит мне зарплату, из собственного кармана вынимает, от сердца отрывает. В кино лишний раз не пойдет, без утреннего кефира останется, а жалованье мне выдаст, но уж в ответ на такое самопожертвование я обязана делать все, что ей понадобится, читай — в голову придет. В том числе и возиться с бездомными кошками, которых она, умирая от восхищения собственным благородством, будет приносить домой.

Мадам выглядела совершенно расстроенной и неприкрытым хамством дочери, и тем, что не может предложить мне единственное, на ее взгляд, приемлемое решение. То есть она это решение видит, но произнести вслух у нее язык не поворачивается. Что ж, это ее украшает. Ума маловато, но совесть все-таки есть.

— Ника... — робко начала она и запнулась.

Придется помочь, ведь другого выхода я тоже не вижу, а мальца жалко, он же не виноват, что его жизнь сложилась так коряво.

— Конечно, Наталья Сергеевна, Патрик будет жить в моей комнате, пока не приучится к лотку. Вы не беспокойтесь, ковры не пострадают.

— Спасибо, Ника, — облегченно вздохнула Наталья.

Так мы с Патриком оказались вдвоем в моей маленькой комнатке. Нет, втроем, потому что вместе с котенком в бывший Адочкин кабинет перекочевал и кошачий лоток, наполненный «Катсаном». Лоток я посчитала за отдельную единицу, ибо он в силу своих размеров съел значительную часть и без того небогатого пространства, свободного от дивана, книг и письменного стола с компьютером. А ведь еще нужно было пристроить мисочки для воды и корма.

Через пару дней нас стало четверо: к котенку и лотку прибавился запах. А с проветриванием большие проблемы, комната настолько мала и все предметы в ней находятся так близко друг от друга, что Патрику даже в столь юном возрасте и мелком калибре не составляло труда добраться до подоконника, куда его постоянно толкало вполне естественное любопытство. Открывать окно можно было только в моем присутствии, а учитывая объем работы по дому, присутствия этого было совсем не много.

Так мы и жили с найденышем. Я засовывала ему в ушки ватные турундочки, смоченные в лекарстве, а в попку — лечебные свечки, мазала мазями и делала уколы, дважды в день отмывала в ванной полиэтилен, которым укрыла по возможности максимальное пространство, возилась с хлоркой, ибо, как известно, кошки очень любят писать как раз туда, где пахнет их мочой. Улучив час-полтора, я неотлучно сидела в кабинете, зорко наблюдая за Патриком. Как только мне казалось, что он прилаживается к реализации насущной физиологической потребности, я, аки коршун, бросалась к нему, хватала и сажала в лоток.

Спать в эти дни я совсем не могла, мне все казалось, что стоит мне задремать, как котенок тут же запрыгнет на постель и использует ее вместо туалета. Я бдила и ловила момент. От запаха подташнивало и болела голова. От чувства собственной униженности и от жалости к Патрику болело сердце. В какой-то момент я поняла, что мы с ним удивительно схожи: оба оказались бездомными и никому не нужными.

Это открытие так потрясло меня, что я, здравая и несклонная к излишнему романтизму тридцатишестилетняя баба, не уследила за собой, расплакалась и заговорила с Патриком вслух:

— Так получилось, малыш, что в этом доме ты никому не нужен, Алена принесла тебя под влиянием порыва, Наталья разрешила тебя оставить, потому что была в хорошем настроении, а в сущности, всем на тебя наплевать, никто тобой заниматься не хочет, никто тебя не любит, просто вышвырнуть рука не поднимается. От тебя одни проблемы, ты гадишь во всех углах и на всех поверхностях, с тобой нужно возиться, тебя нужно лечить и воспитывать. А никто не хочет. И я такая же, как ты. Меня бросил муж, которого я люблю, и я в этом городе осталась бездомной, безденежной и никому не нужной. Никто не станет возиться со мной, чтобы вытащить меня из ямы. Только я сама могу себе помочь, чтобы выкарабкаться. И ты тоже должен сам себе помогать, если хочешь остаться здесь и всегда иметь крышу над головой и еду. Понял? Ты должен быстрее научиться ходить в лоточек, тогда тебя выпустят из этой конуры и разрешат бегать по всей квартире. Ты должен скорее выздороветь, чтобы все твои болячки зажили и чтобы никто не брезговал брать тебя в руки. Тогда тебя будут тискать, ласкать и любить. Понял?

Сама-то я, имея за плечами десять лет медицинской практики, брезгливой не была, но, кроме меня, к Патрику действительно никто не прикасался. Вот и сейчас я тихонько рыдала, уткнувшись лицом в его реденькую, противно пахнущую противолишайной мазью шерстку. И знаете, что самое удивительное? Мне показалось, он меня понял. Я всегда знала, что кошки — существа космические, они получают информацию из пространства, и пространство моей конурки, видимо, было в тот момент так переполнено отчаянием, тоской и печалью, что не почувствовать их котенок не мог. Он лизнул меня в глаз и принялся деловито выбираться из моих мокрых от слез рук. Соскочил с колен на пол и медленно, неуверенно пошел к лотку. Занес одну лапку над бортиком, оглянулся, и в его невнятного пока еще цвета глазах я отчетливо увидела вопрос: «Ты это имела в виду? Ты этого от меня добиваешься? Я ЭТО должен сделать, чтобы меня выпустили на простор?»

Наверное, мне показалось. Никакого вопроса не было, просто имел место переход количества повторяющихся эпизодов в качество запоминания. Я замерла, боясь пошевелиться и спугнуть правильное намерение. Патрик еще немного постоял в задумчивости, потом занес себя в лоток и сделал все как полагается. За что был тут же расцелован и угощен вкусной французской витаминной таблеткой в форме сердечка, позаимствованной мною втихаря из пакета, предназначенного исключительно для высокородной мадемуазель Кассандры. Еще не хватало этому плебею покупать дорогие витамины! Это не мои слова, так сказала Мадам.

Еще почти месяц ушел на то, чтобы окончательно закрепить навык, долечить болячки и заставить Патрика твердо запомнить два слова: собственное имя и «нельзя». После чего я заявила Мадам, что несчастное животное можно выпускать в люди.

Его выпустили. Патрик оказался злопамятным. Ни Алена, ни Мадам для него больше не существовали. Видимо, в свое время он все-таки считал из пространства информацию о том, как они пытались отделаться от забот о нем. Признавал он только Старого Хозяина, Дениса и Великого Слепца, от которых ни разу не слышал в свой адрес худого слова. Ну и меня, само собой. Причем признание это выражалось совершенно по-разному. Например, он запрыгивал на колени к Николаю Григорьевичу, распластывался на его груди, прижимался мордочкой к его шее и блаженно урчал. Делал он это всегда по собственной инициативе, а вот к Гомеру он никогда сам не лез, но, если тот брал его на руки, послушно сидел и позволял себя гладить. Денис, которому с самого начала было наплевать на больного приблудного котенка и который в силу полного равнодушия в бурных обсуждениях его судьбы участия не принимал, против ожиданий проникся к выздоровевшему Патрику симпатией и вместе с ним играл на своем компьютере. То есть играл Денис, а Патрик сидел на столе рядом с экраном, завороженно глядя на цветных мышек и рыбок, спасающихся от удавов и прочих охотников, и пытался их поймать. Денис уже давно, как вы понимаете, вышел из того возраста, когда играют в «мышек и рыбок», его интересовали совсем другие игрушки, с войной, самолетами, гранатометами и пистолетами, но к войне котенок был безразличен, а мышек любил, и великовозрастный Денис шел на уступки, чтобы развлечь маленького дружка. До того как заняться «стрелялкой», он минут двадцать гонял по экрану мышек и рыбок, на радость Патрику, после чего благодарный Патрик забирался к нему на широкое плечо и засыпал, измученный впечатлениями, то и дело принимаясь сонно нализывать шею или ухо своего Большого Брата. Денис таял от умиления и целовал млеющего от счастья котенка в нос. Ни Алене, ни Наталье этого не позволялось, при любой их попытке изобразить любовь к меньшему нашему брату он вырывался, царапался и шипел. Надобно заметить, что, когда болячки прошли, а шерстка стала густой и шелковистой, котик стал пользоваться у дам большим успехом, они то и дело норовили потискать его или приласкать, но безуспешно. Памятливый и принципиальный, он и не собирался их прощать. А ко мне он приходил спать. Если дверь в кабинет оказывалась закрытой, Патрик вставал на задние лапки и начинал передними исступленно скрести эту несчастную дверь, ломясь ко мне в комнату, как внезапно вернувшийся из командировки ревнивый муж, которому почему-то не открывают. Он терпеливо ждал, когда я улягусь, запрыгивал на диван и устраивался у меня на голове.

У него была масса достоинств, о главном из которых я уже рассказывала. Патрик оказался мужественным и честным, при этом обладал прекрасной памятью и ничего не забывал. Но и недостатки имели место. Он воровал еду у Аргона и Кассандры, хотя его собственные мисочки никогда не пустовали. Он шкодил. Он упорно делал то, что нельзя, при этом, как мне кажется, отчетливо осознавая, что делает все это в пику Алене и Мадам. Именно им, и никому другому. То есть он делал как раз то, что, по его наблюдениям, вызывает у них негативную реакцию. Например, обкусывал и раздирал бумаги, пахнущие врагинями, будь то Аленины тетрадки и учебники или чертежи, наброски и записи Натальи. И ни один предмет в квартире, пахнущий Главным Объектом, Гомером или Денисом, не страдал от его выходок. Свершив очередной акт вандализма, он оставался сидеть тут же, на месте преступления, и ждал последствий. Долго ждать обычно не приходилось, потому что Кассандра тут же находила меня и говорила «мяу» с такой особенной интонацией, вытягивая затейливую руладу, что я знала: Патрик опять что-то натворил. Кася ябедничала, но об этом я уже говорила. Она не желала мириться с самим фактом существования на своей территории другого кота, она ревновала, не подпускала Патрика к себе, не желала с ним играть и плевалась. Ну и ябедничала, само собой. Очень по-девически себя вела наша изысканная благородная девица Кассандра.

Но все-таки Аргону я отдала первое место в своей душе не напрасно. Он все видел и все понимал, этот недисциплинированный, необученный, но бесконечно добрый и сострадательный русский терьер. Он безропотно позволял Патрику таскать куски из своей миски, ни разу не пнул его и даже не зарычал. Он понимал, что малышу хочется играть и что Кассандра ему в этом деле не подружка, и беспрекословно вовлекался в возню с мячиками, резиновыми и пластиковыми косточками и прочими подходящими объектами, хотя сам давно уже потерял к играм всякий интерес и предпочитал мирно подремывать на своей подстилке в холле. Когда Аргон зевал, Патрик немедленно залезал лапкой ему в пасть и ловил язык. Когда Аргон ел, Патрик прискакивал и начинал мелко крутиться между мощными лапами, подбирая с пола все, что выпадало из собачьей пасти. Когда Аргон спал, котенок настырно будил его, разбегаясь, прыгая и плюхаясь псу на спину или живот. Если это не помогало, в ход шло надрывное мяуканье прямо в Аргоново ухо или осторожное поцарапывание хвоста. Срабатывало безотказно. Аргон просыпался, зевал (тут же следовала очередная попытка поймать язык) и поступал в распоряжение Патрика. Результаты их совместных игрищ далеко не всегда получались безобидными, случались и опрокинутые цветочные горшки, и разбитые чашки, потому как котенок был жутко активным и энергичным, а пес — большим и не очень-то поворотливым. За тем, чтобы жизнь животных протекала без ущерба для хозяйского имущества, следить тоже должна была я...

Ну вот, теперь вы имеете представление о вверенном мне зверинце, и осталось только еще разочек вернуться к Старому Хозяину. Прошло несколько месяцев, Патрик подрос, превратился в красивого, но некрупного кота и вступил в пору лирических изысканий. Он хотел любви. И не мог ее получить в домашних условиях, поскольку Кассандру стерилизовали еще в годовалом возрасте. Котик метался, тосковал, он явно не понимал, что ему делать со своей проснувшейся взрослостью, и наконец решил, что надо бежать. Бежать на свободу, туда, где, может быть, найдутся ответы на волнующие его вопросы.

Я сдуру не сообразила вовремя, что происходит, и упустила момент. Когда я выходила к мусоропроводу, оставив дверь квартиры и тамбурную дверь открытой, Патрик сбежал. Обнаружилось это не сразу, я занималась уборкой и приготовлением ужина и не обратила внимания на то, что Аргон спокойно спит и никто к нему почему-то не пристает. Отсутствие кота выплыло наружу только с приходом Дениса.

Не буду описывать то, что происходило дальше. Но я была уверена, что меня уволят. Парень завелся с полоборота, к нему тут же присоединились дамы, младшая и старшая, Гомер, как водится, молчал, уставившись в телевизор, Николай Григорьевич разнервничался, услышав громкие разгневанные голоса и рыдания любимой внучки Аленушки, и я подумала, что если у него заболит сердце, то мое пребывание в Семье окажется более чем проблематичным. Зачем, в самом деле, нужна сиделка, если из-за ее нерадивости больному делается только хуже?

Слава богу, в разгар истерики раздался звонок в дверь. На пороге стоял сосед Виктор Валентинович, а из-за его ног в квартиру воровато прошмыгнул Патрик. У нас с соседом была общая тамбурная дверь, отделяющая обе квартиры от просторного лифтового холла. Оказывается, Виктор Валентинович возвращался домой и увидел Патрика, уныло сидящего перед этой самой общей дверью.

Первый выход в большую жизнь, судя по

всему, успехом не увенчался, кот продолжал тосковать и нервничать. Но что-то такое там, на свободе, все-таки произошло, потому что спустя очень короткое время он начал нагло и недвусмысленно приставать к Кассандре. И вот тут-то я и услышала от Старого Хозяина:

— Ника, мне кажется, этот кот учит нашу Касечку плохому.

Я в этот момент делала ему массаж плечевого пояса, поэтому Николай Григорьевич не мог видеть выражения моего лица. Нет, ну как вам это понравится, а? «Этот кот», а не Патрик и даже не просто Котик, как его частенько называли. Этот приблудный чужак. Но зато «Касечка». Любименькая. Родненькая. Породистая, с понятной и обеспеченной клубными печатями родословной. И это несмотря на то, что Касечка ни разу к деду не приласкалась и ни минуты не просидела у него на коленях, а Патрик Старого Хозяина тихо обожал и с исступленным восторгом мурлыкал, распластавшись на его груди. Более того, я уверена, что Патрик чувствовал сердечный недуг Главного Объекта и, как многие коты, лечил его своей особенной кошачьей энергетикой, ложась на больное место. Господи, да чему плохому он может научить Кассандру? Она и так уже все знает, по крайней мере, как надо «стучать». Вот это, по моим убогим представлениям, действительно плохо и недостойно. А хотеть любви — разве это плохо?

Беспородный найденыш Патрик навсегда останется для деда чужим, несмотря на всю кошачью любовь и ласку. И точно так же чужим для Николая Григорьевича является «не Сальников» Денис. Хотя парень, по моим наблюдениям, относится к старику куда теплее и внимательнее, чем «родненькая» Аленушка.

Но все это я произнесла маленьким язычком.

В ДОМЕ НАПРОТИВ

Ох, как ему нравилась эта девчонка! С первого же дня, с первой лекции, да нет, что там, он заприметил ее еще во время вступительных экзаменов, такую живую, энергичную, плотненьким аппетитным колобочком катящуюся по длинному институтскому коридору. Темно-рыжие волосы плотным толстым шлемом облегают синеглазое лицо, улыбаются не только губы и глаза, но и плечи, спина, руки — вся ее невысокая крепенькая фигурка. Костя, опираясь на свой относительно богатый для его возраста опыт общения с девушками, всегда думал, что ему, как нормальному современному парню, нравятся «манекенщицы», не в смысле рода деятельности, конечно, а в смысле фигуры: высокие, плоско-тонкие, и чтобы ноги непременно росли от ключиц, никак не ниже, и чтобы одеты были стильно. Поэтому радостное оживление, охватывающее его каждый раз, когда рыженькая толстушка улыбалась ему или просто проходила мимо, он списывал на ту ауру жизнелюбия и излучаемого во все стороны счастья, которая исходила от Милы (да-да, ее зовут Милой, Людмилой, и фамилия у нее округлая, мягкая, уютная — Караваешникова). Костя не делал попыток познакомиться с ней поближе, тем более учились они хоть и на одном потоке, но в разных группах. Почему не делал? Потому что она не манекенщица, это во-первых, а ухаживать за аппетитными колобочками в наше время не модно. Во-вторых, у него все равно нет времени на все эти шуры-муры, ведь надо гулять, встречаться-провожаться, ходить в кафе, на дискотеки, в ночные клубы. Разве он может себе это позволить?

Но позволить хотелось. Очень. Особенно сегодня, когда как-то так совершенно случайно вышло, что они после занятий столкнулись у турникета в метро, вместе спускались по эскалатору, потом оказалось, что им ехать в одну сторону, по крайней мере до пересадки, до станции «Таганская», где Косте нужно было выходить, а Миле — переходить на «Марксистскую». Но пока добрались до «Таганской», выяснилось, что у них столько общих тем для разговора, что разговор этот прекратить вот так, сразу, ну просто никак невозможно. Костя мельком взглянул на электронные часы, висящие над въездом в тоннель, в конце платформы. Ему нужно непременно зайти домой, взять для Вадика теплый свитер и куртку — брат просил, ему разрешили гулять, но зима еще не кончилась, он мерзнет во время прогулок. И книги Костя для него приготовил, целую стопку, специально вчера на книжную ярмарку ездил. Так, взять книги и одежду и ехать в больницу, посетителей пускают с четырех часов, и Вадька, конечно же, ждет его, глаз с часов не сводит. Добираться до больницы с Таганки около часа — час десять примерно. Значит, самое позднее в три он должен выйти из дома. Сейчас двадцать минут третьего, от метро до ненавистной улицы, на которой стоит ненавистный дом, семь минут быстрым шагом. Десять минут нужно выделить на пребывание в доме: подняться в квартиру, перекинуться парой слов с отцом, если он там, уложить вещи и книги в сумку, спуститься вниз. Этот график Костя выдерживает ежедневно, только обычно он еще успевает пообедать быстренько, потому что нигде не задерживается ни одной лишней минутки и ровно в двадцать минут третьего выходит из поезда на станции «Таганская». А если сегодня обойтись без обеда и вместо него поболтать еще минут пятнадцать с Милой? Они только-только заговорили о Коэльо, по которому в этом году вся Москва с ума сходит, и Костя отчего-то непременно хотел поделиться с девушкой своими мыслями по поводу прочитанного и услышать ее мнение. Да и Мила, кажется, тоже не спешит расстаться с ним.

Но взгляд, брошенный на часы, она все-таки приметила и тут же спросила:

— Ты спешишь?

— Да нет... то есть... — Костя запутался в словах и мысленно обругал сам себя. — Понимаешь, мне нужно к четырем часам к брату в больницу, а еще надо домой заскочить, взять для него кое-что.

— Хочешь, я тебя провожу? — неожиданно предложила Мила. — Мне спешить некуда, времени навалом.

Хочет ли он? Она еще спрашивает! Но ведь он не может пригласить ее в дом, ему стыдно показывать, в какой убогости он живет, а объяснить, что это только временно и связано с необходимостью, сложно. Объяснение может вырулить на такую плоскость, где и проговориться недолго. А нельзя. Впрочем, есть один вариант вранья, вполне понятный и безобидный, главное — не сбиться. Если совсем припрет, можно сказать, что у них в семье финансовые трудности, и они сдают свою большую хорошую квартиру иностранцам за приличные деньги, а сами временно снимают дешевенькое плохонькое жилье. В сущности, это не так уж далеко от истины. Ненавистную квартиру они действительно снимают. И их собственная квартира действительно большая и очень хорошая. Только никаким иностранцам они ее не сдают.

— Знаешь, Мила, я бы очень хотел еще побыть с тобой, и спасибо тебе за предложение проводить. Только я не могу пригласить тебя к себе, ты подождешь меня на улице? Я мигом, только сумку соберу. Пять минут, ладно? Не обидишься?

— У тебя что, родители дома? — понимающе спросила она.

Ну вот, еще легче, и никакого особенного вранья пока не нужно, Мила сама подсказала ему причину, которую она считает уважительной.

— Да, — с готовностью кивнул он, — отец дома. Он человек сложный, не всегда адекватный, так что без предварительной подготовки незнакомых людей приводить опасно. Ну, ты сама, наверное, понимаешь...

— Понимаю, конечно, — засмеялась девушка. — У меня бабка такая же. Никого не могу к себе позвать, прямо кошмар какой-то. Ну пошли, — она потянула Костю в сторону эскалатора, — чего мы стоим?

Семь минут быстрым шагом обычно легко превращаются в двадцать и даже двадцать пять минут неторопливого счастья. Эта мысль пришла в голову Косте Фадееву, когда пришлось остановиться перед ненавистным подъездом.

— Подождешь? — на всякий случай спросил

он, хотя вроде бы все уже было договорено и решено и Мила вызвалась поехать с ним аж до больницы.

— Конечно, беги, не волнуйся, никто меня здесь не украдет.

Он взлетел по лестнице к лифту, ворвался в квартиру, кинулся укладывать книги.

— Что это за девица с тобой? — послышался недовольный голос отца.

Ах ты черт, как же он упустил из виду, что отец целыми днями торчит у окна, наблюдает за домом напротив, выслеживает их Врага. И конечно, видел, как Костя подходил к дому с девушкой.

— С моего курса, — Костя попытался быть нейтральным и кратким. Авось отец удовлетворится минимально необходимой информацией.

— Зачем ты ее привел?

— Пап, я ее не привел, она ждет на улице. Я обещал дать ей конспекты переписать, она болела, пропустила несколько лекций.

— И как ты объяснил ей, почему не приглашаешь в дом?

— Сказал, что у меня отец болеет. Все в порядке, пап, не волнуйся. Новости есть?

— Ты мог бы спросить об этом первым делом. Такое впечатление, что тебе неинтересно... Вспомнил только под занавес, как будто ты мне одолжение делаешь.

Косте на мгновение стало стыдно. Отец прав,

самое главное для них сейчас — Враг. И даже не столько он, сколько те люди, с которыми он связан и из-за которых Вадька не поступил в институт. Все брошено на алтарь этой цели, все силы, деньги, время, все мысли и планы. Но из-за Милы он позволил себе на несколько минут забыть об этом, отвлечься. Нет ему прощения.

— Прости, папа, ты не думай, что я забыл. Просто у меня цейтнот, я не хочу к Вадьке опоздать, ты же знаешь, какой он, если в пятнадцать минут пятого меня не будет, он подумает, что я вообще не приду, и никто больше к нему не придет, и он никому не нужен, и все его бросили. Так уже бывало, и я не хочу, чтобы это повторялось.

Лицо отца смягчилось. Он помог сыну застегнуть «молнию» на дорожной сумке.

— Сегодня все как обычно, — торопливо заговорил он, стараясь не задерживать Костю. — Он утром поехал в институт, я его проводил, посмотрел расписание, у него две лекции, потом два «окна», потом он принимает зачет, с четырех часов. Раньше шести, я думаю, он не освободится. К шести я туда подъеду, посмотрю, как он проведет вечер.

— А два «окна»? Это же три часа свободного времени, он может уехать куда угодно и потом вернуться.

— Я уже это проверял, ты забыл? Первое время я постоянно торчал с утра до конца рабочего дня то возле института, то возле фирмы, где он работает. У него устоявшиеся привычки, этот человек не склонен к экспромтам. Когда у него «окна», он из института не уходит.

— Пап, — Костя уже стоял возле двери с сумкой в руке, — а может быть, мы неправильно рассчитали? Смотри, мы уже четыре месяца тут торчим, и ничего не происходит. Он с тем мужиком, о котором Вадька рассказывал, так и не встретился ни разу.

— Что ты хочешь сказать? — Отец нахмурился. — Что мы неправильно рассчитали?

— Ну, может, он с ним все-таки встречается, но не в городе, а прямо там, в институте. Или вообще у себя на фирме. Ты же за ним не следишь, пока он в институте, верно?

— Этого не может быть, — отрезал отец. — Этот человек не может там появляться. Не должен.

— Почему?

— Его могут узнать.

— Да кому он нужен? Кто его там будет узнавать?

— Не учи меня! Я знаю, что делаю.

Костя покорно вздохнул и выскочил на лестницу. Мила стояла возле подъезда, точно в том же месте, где он ее оставил, и читала детектив в мягкой обложке.

— Все в порядке? — Она с тревогой заглянула ему в глаза, и Костя подумал, что, наверное, рожа у него перекошенная, словно он гадости какой-то наглотался.

— Порядок, — бодро ответил он. — Можем двигаться.

— А чем болеет твой брат? Что-то серьезное?

— У него нервы...

Вдаваться в подробности не хотелось. Опасно.

— Он старший или младший?

— Ровесник. Близнец.

— Такой же, как ты? Один в один?

— Да нет, мы разнояйцевые, — улыбнулся Костя. — Совершенно друг на друга не похожи. Он нежный такой, ранимый, слабый, не то что я. Меня-то оглоблей не перешибешь, а Вадька у нас как одуванчик, на него даже дунуть посильнее нельзя. Вот в институт не поступил — и заработал нервный срыв.

Так, остановиться, куда это его понесло? Еще одно слово — и станет опасно. Про институт сказал, про нервный срыв — и достаточно, сворачиваем тему.

— И ты каждый день к нему ездишь? — В голосе Милы не было любопытства, во всяком случае, Костя слышал только искреннее сочувствие и даже желание разобраться в ситуации, чтобы быть полезной.

— Каждый. Ну почти, — тут же поправился он. — В выходные мать ездит, но не всегда, у нее работы много, бывает, что и по выходным она не может. А в будние дни она никогда не успевает, очень поздно заканчивает.

— А кем твоя мама работает? Ничего, что я спрашиваю? Просто мне все про тебя интересно.

Его бросило в жар. Кажется, даже волосы покрылись испариной. Ей интересно все, что касается его жизни. Разве так может быть? Девушка, от одного взгляда на которую ему становится пушисто и бархатно, сама предлагает проводить его, а потом интересуется им и его жизнью. Это сон, наверное. Или слюнявый женский роман, который он, Костя, по недоразумению начал читать.

— У меня мать — переводчик, ну и уроки дает, у нее учеников море. А твои предки чем занимаются?

— У-у-у, — Мила весело махнула рукой, — скукотища. Папаня банкирствует по мере умственных возможностей, маман тратит то, что он набанкует. Больше всех у нас бабка занята, следит, чтобы я замуж за проходимца не выскочила. Ей все кажется, что моя мама за ее сыночка по расчету замуж вышла, и второго покушения на папанины капиталы она не вынесет. Маразм, честное слово! Когда предки поженились, они вообще студентами были, еще при советской власти. Тогда во всей стране всего три банкира и было.

— Почему три? — не понял Костя.

— Потому что всего три банка и было — Госбанк, Внешэкономбанк и Стройбанк. Они оба в Плешке учились. Разве кто-нибудь мог знать тогда, как все дело обернется? Но бабке не объяснишь, она упертая как я не знаю кто. Невестку она, натуральное дело, выпереть из семьи не может, но уж на мне отыгрывается — будьте-нате. Так что имей в виду, я тебя к себе тоже приглашать не смогу, бабка из тебя душу вынет. А то и оскорбить может, у нее не задержится.

Господи, что она такое говорит? Что не сможет приглашать его к себе домой? Что не хочет, чтобы ее бабка обижала Костю? За восемнадцать лет жизни ему не приходилось слышать слов, которые казались бы волшебной музыкой. Вот сейчас и услышал.

— Странно вообще-то, — начал он и запнулся, потому что хотел сказать что-нибудь примитивно-грубоватое, чтобы скрыть восторг и смущение, но фразу до конца не придумал.

— Что странно?

— Да вот мы уже второй семестр вместе учимся, а разговорились только сейчас. И домой ездим по одной ветке, а раньше в метро не встречались.

— Ничего странного, — фыркнула Мила, — я в метро не езжу. Просто я вчера одному козлу крыло помяла, ну и себе, соответственно, тоже, и машина в сервисе стоит. Через неделю будет готова.

Вот, значит, как. Банкирская дочка. Ну все понятно, чего уж там. У нее небось и парень есть подходящий, которого бабка одобряет, но он временно отсутствует, поэтому сегодня у нее метро и непритязательный Костик, а через неделю будет машина и приличный кавалер.

— Какая у тебя тачка? — спросил он потухшим голосом, лишь бы что-нибудь спросить.

— «Бэха-треха».

«BMW» третьей модели. Недурно для первокурсницы.

— А твой постоянный парень чем занимается?

Спросил как о чем-то давно известном и само собой разумеющемся. Не нужны ему вредные иллюзии, пусть все будет ясно с самого начала, пусть будет больно сейчас, но уже через несколько дней это пройдет, и все станет как прежде.

— Понятия не имею. — Она пожала плечами и лукаво посмотрела на Костю. — Чем-то, наверное, занимается, если у него совсем времени на меня нет.

— Редко встречаетесь? — Костя попытался изобразить сочувствие и понимание.

Ясное дело, он такой занятой, ну прям такой занятой, что бедную девушку даже в кафе сводить не может, вот она от скуки и потащилась с Костей через весь город.

— Не то словечко. Просто-таки вообще ни разу еще не виделись.

Он заподозрил неладное, но не сразу, и продолжал задавать свои тупые равнодушные вопросы, чтобы показать: он ни на что такое особенно-то и не надеялся, и даже в голове не держал, просто едет себе в метро и болтает с едва знакомой однокурсницей.

— Вас что, заочно окрутили, как на Востоке?

— Ага, — она весело хмыкнула. — Боженька там, на небесах, всех по парам давно уже распределил, мне тоже кого-то назначил, только этот назначенный такой деловой, что никак время не выберет, чтобы со мной пересечься. Деньги, наверное, зарабатывает в поте лица. А может, бандитствует потихоньку, это тоже занятие серьезное. А может, уже и срок мотает. Или вот, как ты, к брату в больницу каждый день ездит, так что ему пока не до девушек.

Костю отпустило. Глупо, конечно, думать, что у такой чудесной девушки никогда никого не было. Были. Но сейчас, похоже, она свободна. И едет с ним в больницу не от скуки, а потому, что хочет побыть с ним. Только как же потом? Он пойдет к Вадику, а она? Неужели будет ждать его два часа? Потому что меньше двух часов он с братом не проведет, так сложилось с самого начала, и, если Костя попытается сократить время встречи, Вадька снова запсихует, начнет думать, что он всем надоел, он всем в тягость... Нет. Два часа и ни минутой меньше.

Что же делать, когда они доберутся до больницы? Попросить подождать — немыслимо! Ни в какие ворота не лезет. Пригласить вместе навестить Вадьку? Нельзя. Вадька может сболтнуть что-нибудь лишнее. И потом, если он увидит Костю с девушкой, то сразу станет думать, что он своей болезнью разрушает личную жизнь брата, и далее со всеми остановками. С Вадькой нужно быть очень осторожным и аккуратным, на него действительно дышать нельзя, он сразу кидается с головой в идеи самообвинения и собственной никчемности, так и раньше было, а уж после срыва — полный караул!

Так как же быть? Дойти до больничного крыльца и мило попрощаться, дескать, спасибо за компанию, было очень приятно? Хамство.

— Костя, а рядом с больницей что-нибудь есть?

Вопрос застал его врасплох, Костя даже не понял, о чем Мила его спрашивает.

— В каком смысле «что-нибудь»? Дома есть, улицы, машины ездят.

— Кафе есть какое-нибудь? Лучше с Интернетом. Я бы в чате посидела, пока ты у брата будешь. У меня есть два любимых чата, такие прикольные — я от них балдею, могу целую ночь проторчать.

— Есть! — радостно воскликнул он.

Как все просто. И как все хорошо...

Глава 3
НИКА

Вот вы, наверное, уже успели подумать о том, какая я хладнокровная и бездушная. Ну как же, муж меня бросил, а я не страдаю и не наматываю сопли на кулак. Вместо того чтобы лить слезы ручьем и рассказывать, как мне плохо, как я переживаю, как мне больно, особенно когда представляю себе, как Олег там с другой женщиной... И все в таком роде. Так вот вместо всего этого я вам пою романсы про бездомного кота, непослушную собаку и алкашей у супермаркета. Ведь подумали же, да? Конечно, подумали.

И напрасно. Вовсе я не холодная и не бездушная. Просто у меня всегда все в порядке. Я привыкла так жить. Что бы ни происходило, как бы погано ни было у меня на душе, на вопрос «Как дела?» я всегда отвечаю: «Нормально» и не пытаюсь грузить собеседника своими проблемами и переживаниями. Если есть что рассказать, образно говоря, «по фактуре» — делюсь непременно, я вообще-то не молчунья и потрепаться люблю. Но выплескивать всем подряд то, что у тебя на душе, — нет уж, увольте. Да и не нужно это никому, если вдуматься.

А на душе у меня первое время царило полное безобразие. Не стану описывать в деталях, каждую женщину хоть раз в жизни бросал любимый мужчина, так что всем и без моих причитаний все понятно. И как это больно, и как горько, и как сильна обида, и как непереносимо чувство униженности. Кстати, интересный феномен: почему мы, женщины, в такой ситуации чувствуем себя именно униженными? Наверное, это оттого, что сам факт ухода нашего любимого к другой мы воспринимаем как фразу: «Она лучше тебя». Она лучше, стало быть, мы, брошенные, — хуже. А ведь на самом-то деле глупость несусветная! Она не лучше, а мы не хуже, просто мы с ней разные. И нашему любимому до поры до времени было хорошо с нами, потому что мы со своим характером и внешностью отвечали, то есть соответствовали, его внутренним потребностям. Но время идет, люди меняются, развиваются, мы — в одну сторону, наши мужчины — в другую, и наступает рано или поздно момент, когда мы такие, какими стали, уже не соответствуем потребностям того мужчины, в которого со временем превратился наш избранник. Вот и все. И чем моложе пара, тем больше вероятность, что их развитие пойдет в разные стороны и они обязательно расстанутся. Потому что интенсивно человек развивается примерно лет до тридцати пяти, а то и до сорока. Пары, которые сошлись в сорок и позже, имеют куда меньше шансов на разочарование, потому что к сорока годам вкусы, интересы и потребности уже как-то устоялись, системы приоритетов и ценностей сформировались, и если люди устраивают друг друга такими, какие они есть, то так оно уж и останется. Исключения, само собой, бывают, не без этого. Но не часто.

Не думайте, что я такая умная и все это знала в момент ухода Олега. Ничего я не знала, поэтому рыдала и страдала, как говорится, в полный рост. С сердечными болями и мигренями, с высоким давлением, чернотой в глазах и прочими невротическими прелестями. Но... С тех пор прошло достаточно времени, чтобы я очнулась от ужаса и разобралась в ситуации. В Семье я уже больше года. Сначала я ждала Олега. Надеялась, что поселившийся в его ребре бес порезвится и затихнет и он вернется. Все двери я оставила открытыми, каждый раз после телефонного разговора с его родителями я отзванивалась ему на работу и подробно пересказывала весь разговор, чтобы он при беседе с ними не попал впросак. Была с ним милой, шутила, справлялась о его здоровье. Короче, изображала идиллические отношения между взрослыми, все понимающими людьми. Правда, меня немного удивляло, почему Олег ни разу не предложил мне возмещать затраты на телефонные переговоры с его родителями, ведь для меня эти деньги были куда как существенными. Но я сама себе маленьким язычком отвечала, что я ведь не жалуюсь на свое бедственное положение, так откуда ему знать?

А потом прозвенел первый звоночек. И не сказать чтоб тихонько.

— Ника, ты ведь сейчас на Таганке живешь? — как-то спросил меня Олег.

— Да, — подтвердила я, и в душе у меня все

запело: сейчас он скажет, что хочет увидеться со мной, что соскучился.

— Слушай, у вас там есть какой-то магазин итальянской сантехники.

— Есть, — снова подтвердила я, совершенно не понимая, куда он клонит.

— Ты не могла бы туда сходить?

— Могла бы. А зачем?

— Понимаешь, мы ремонт делаем, но у нас совершенно нет времени днем по магазинам мотаться. Мы же работаем. Ты пойди туда и посоветуйся с продавцами, какая сантехника лучше, и узнай, какие там цены. Ладно?

Хорошо, что я в этот момент сидела. Просто-таки большая жизненная удача. Иначе быть бы мне с черепно-мозговой травмой. Олег, находясь со мной в зарегистрированном браке, живет с другой женщиной, приносит ей свою немаленькую зарплату, и на эту зарплату (на половину которой я имею законное право) они делают ремонт в ЕЕ квартире и покупают сантехнику, в которой ОНА будет мыться и справлять прочие гигиенические надобности. А я, брошенная без копейки и без крыши над головой Ника, должна ходить по магазинам и узнавать, какая техника лучше и сколько она стоит. Ну конечно, я же не работаю, не хожу к девяти в присутствие, я кто? Так, никто, домработница, прислуга. Пойду с корзинкой на базар, по дороге и насчет цен на унитазы справлюсь.

У меня аж дух захватило. Знаете, это очень занятный процесс, когда с одной стороны тебя обуревает возмущение, с другой — удивление, с третьей — стыд. Про возмущение, я думаю, вам понятно, можно не объяснять. Удивляло же меня, что я вообще это слышу от Олега. Неужели в нем вот это вот было и раньше, а я не замечала? Или раньше не было, а появилось только сейчас? Да нет, пожалуй, и раньше было, ведь спокойствие его родителей — это его проблема, сыновняя, а он легко и непринужденно переложил ее на меня. Дескать, старики распереживаются, ты уж, Ника, помоги. Но старики — это святое, и я как-то не придала значения просьбе Олега регулярно звонить им, как и прежде. А ведь его просьба посодействовать с унитазом, если вдуматься, из той же коробочки.

И было мне в тот момент жарко от стыда. Я умирала от любви к ЭТОМУ человеку? И умирала от горя, когда он меня бросил? Неужели я такая дура? Неужели я еще более слепа, чем Гомер?

Людям свойственно любить себя, и я не исключение. Считать себя слепой дурой было неприятно, и я быстренько вышла из виража, решив, что Олег, вероятно, просто сморозил глупость, не подумав, как она будет воспринята. Вполне простительная ошибка. С каждым случается.

Второй звонок прозвенел просто-таки оглушительно. Для каких-то надобностей Олегу потребовалось предъявить свидетельство о браке, а поскольку регистрировались мы в Ташкенте, то и свидетельство было на чистом узбекском языке. Находилось оно у меня.

— Ника, слушай, мне нужен нотариально заверенный перевод свидетельства, — заявил он.

— Приезжай и забирай, — ответила я без колебаний.

— А ты не могла бы узнать, где делают официальные переводы?

— Могла бы. Но ты можешь с этим справиться ничуть не хуже. У тебя тоже есть телефон, возьми «Желтые страницы» и позвони.

— Ну Никуша, — заныл он, — у тебя это так ловко получается! Слушай, может, ты найдешь эту контору, съездишь к ним, сделаешь все, потом заверишь у нотариуса, а?

Строго говоря, это было проблематично. Одно дело заскочить в магазин сантехники на соседней улице, и совсем другое — переться незнамо куда и тратить неизвестно сколько времени. Я ведь никогда точно не знаю, кто из членов Семьи и сколько времени собирается провести дома, а оставлять Главного Объекта в одиночестве невозможно. Конечно, нет ничего невозможного, если захотеть. Но вот должна ли я хотеть?

— А зачем тебе свидетельство о браке? — осторожно спросила я. — Ты собираешься подавать на развод?

— Ну что ты, Никуша, конечно, нет. Мы с Галочкой собираемся съездить к друзьям в Калифорнию, они нас приглашают отдохнуть, а в американском посольстве для визы обязательно нужно предъявлять свидетельство о браке, если ты женат, там вообще все очень сложно...

И еще десять минут я вынуждена была слушать печальную повесть о том, какие невероятные препоны приходится преодолевать моему бывшему мужу, чтобы вырваться на месяц отдохнуть с любовницей на калифорнийских пляжах. Если память мне не изменяет, перед моим отъездом в Ташкент к тяжелобольному свекру Олег мне говорил, что вот отец поправится, все тревоги закончатся, и мы обязательно поедем с ним в Калифорнию к этим самым друзьям, которых я, кстати, считала и своими друзьями, поскольку мы были хорошо знакомы. А теперь мне предлагалось оказать ему помощь в том, чтобы в эту поездку он отправился не со мной. Да уж не глючит ли меня? В самом ли деле это происходит? Может, я сплю? Или брежу?

После второго звонка выходить из виража было, пожалуй, потруднее. Зато после третьего, как и полагается в театре, занавес поднялся, и моим глазам предстала четкая и не очень-то приглядная картина. Я вдруг увидела Олега таким, каков он был на сегодняшний день. Это совсем не тот Олег, в которого я когда-то влюбилась и за которого выходила замуж. Это другой мужчина, инфантильный, остановившийся в своем эмоциональном развитии на уровне ясельной группы детского садика. Абсолютно чужой и абсолютно мне ненужный.

В тот день я поняла, что больше не буду его ждать. И мое пребывание в Москве утратило первоначальный смысл. Но к тому времени я проработала у Сальниковых десять месяцев, и мне удалось скопить четыре с половиной тысячи долларов. Иными словами, я уверенно и без сбоев шла по дороге, которую для себя наметила: жить «в людях» и копить на собственную квартиру. Что же теперь, отступить? Все бросить? Ни за что. Да и потом, я не могу вернуться в Ташкент, пока живы родители Олега, они сразу же узнают о моем приезде и догадаются об остальном. Вот попала ты, Кадырова! Это ж надо, чтобы так все сошлось: и в Ташкенте, и в Москве ты должна обеспечивать душевный покой стариков. Видно, планида твоя такая.

Ну а сейчас, поскольку с момента расставания с Олегом прошло больше года, в моей душе царит относительный покой. Я приняла ситуацию, смирилась с ней и не считаю нужным заламывать руки и строить из себя великомученицу.

* * *

Я совершенно не умею рассказывать «от печки», мне всегда хочется побыстрее подобраться к главному, и из-за этого мое повествование обычно получается сумбурным и путаным, потому что все время приходится возвращаться к началу и что-то дополнительно объяснять, или уж вовсе непонятным, если не возвращаться и не объяснять ничего. Одним словом, рассказчик я аховый.

К тому же меня сбивает с ровного повествовательного тракта неистребимое стремление найти нужную развилку, ту точку, тот момент принятия решения, который вывел меня именно на это ответвление дороги, а не на какое-нибудь другое. Поэтому, рассказывая свою историю, я постоянно оглядываюсь на прошлое и застреваю на событиях, которые вам кажутся совершенно неинтересными, но для меня имеют огромное значение. Уверена, например, что вы так и не поняли, зачем я столь подробно описывала эпопею с Патриком. Да, миленько, даже, может быть, умилительно, но зачем? Какое это имеет отношение?.. Никакого. Для вас. А для меня имеет. Потому что именно в разгар выяснения, у кого в комнате должен жить котенок, пока не приучится к лотку, я впервые сформулировала свою задачу: я должна стоять на страже мира и покоя в Семье, чтобы никто ни на кого не сердился, никто не повышал голос, не плакал и не страдал, а если уж этого нельзя избежать, то чтобы Старый Хозяин ничего не видел, не слышал и не знал. Ему нельзя нервничать и волноваться. Пока Главный Объект жив, у меня будет работа и зарплата. И свою задачу я буду выполнять ценой любых усилий и любых жертв. Речь идет не о самопожертвовании, а о том, что у меня есть я, о которой никто, кроме меня самой, не позаботится. Все, что я делаю ради спокойствия Николая Григорьевича, я делаю для себя самой, для достижения собственной цели. Если хотите, можете назвать это эгоизмом, воля ваша. Я же называю это отчаянной борьбой за выживание. И ради тишины и покоя в доме я буду терпеть в своей крохотной комнатке Патрика вкупе с запахами кошачьих экскрементов, хлорки и наполнителя для лотка.

Да, все верно, тот эпизод и был «точкой разветвления» моей дороги. Про себя я именовала ее точкой «Патрик». От точки «Патрик» я двинулась дальше по одной из двух веток. А уж эта ветка, в свою очередь, тоже давала отростки, и мне приходилось выбирать, по какой веточке своего жизненного дерева ползти дальше.

От точки «Патрик» до следующей, которая называется точкой «Гомер», веточка вытянулась почти на месяц. Но точка «Гомер» тоже очень важна для понимания дальнейших событий, поэтому мне придется снова вернуться назад. Вы уж простите.

Итак, точка «Гомер». В один прекрасный день Мадам, придя домой, стала обнаруживать явные признаки нервозности. Нет, она ни на кого не сердилась, но каждые пять-десять минут куда-то звонила, ей не отвечали, и с каждой неудачной попыткой дозвониться в ней словно туже и туже натягивалась невидимая тетива. Мне даже показалось, что если вставить стрелу, то последствия выстрела могут быть, как выражаются медики, несовместимыми с жизнью. Судя по всему, Наталья и сама это понимала. По ее напряженному лицу было видно, что она судорожно пытается что-то придумать.

— Ника, Николай Григорьевич уже ужинал?

Я с удивлением посмотрела на нее. У Старого Хозяина жесткий режим питания, уж ей ли не знать! Ужин в 19.00. Кефир со сладкой творожной массой — в 22.00. Сейчас половина десятого. Так какие могут быть вопросы?

Но все это было сказано маленьким язычком. Большой же язык у меня вежливый и выдержанный.

— Да, Наталья Сергеевна, Николай Григорьевич ужинал.

— Он еще не спит?

Да ты что, матушка, совсем с глузду съехала? Какое «спит»? А кефир? А сериал про пограничников, который только в десять вечера начинается и который Старый Хозяин как раз на кухне и смотрит, аккуратно выедая творожок с изюмом из упаковочного стаканчика? Ты что, первый день в этом доме живешь?

Маленький язычок, которому я акустической свободы не даю и который иногда в знак протеста пытается использовать мои глаза и мимику в качестве носителя информации, сделал мощный рывок, и я с трудом успела удержать его, а стало быть, и лицо в состоянии относительного покоя.

— Нет, Наталья Сергеевна, он еще не спит. Он в десять часов выйдет пить кефир с творогом и смотреть сериал.

— Ах да, я забыла...

Она снова схватила телефонную трубку и попыталась куда-то дозвониться. Не сказать чтобы успешно. Я продолжала лепить манты, которые заказал на ужин Денис. Он уже звонил, сказал, что придет в одиннадцать. Мадам металась между кухней и гостиной, почему-то каждый раз надолго застревая в прихожей. Что происходит, хотела бы я знать?

Из своей комнаты выпорхнула Алена, придирчиво оглядела стоящую на кухне вазу с фруктами, схватила мандарин.

— Мам, а папы что, до сих пор нет?

Наталья дернулась и чуть не уронила телефонную трубку, которую так и таскала в руке.

— Он задерживается. Дядя Слава приехал из Орла.

— А-а-а, все ясно, опять будем бездыханное тело на себе таскать, — презрительно бросила Алена, ловко сдирая кожуру с мандарина.

— Алена!

— Да что такого, мам? В первый раз, что ли?

Все равно Ника рано или поздно узнает. Как дядя Слава приезжает, так папа нарушает режим. А еще по праздникам, дням рождений и банным дням. Нике просто повезло, что пока еще праздников не было. А скоро Новый год, Рождество, 23 февраля, 8 Марта...

— Алена! — Наталья уже сердилась, это было слышно.

— Да ладно тебе, мам. Подумаешь. Ну придет, ну будет валяться в прихожей, мы его дотащим до какого-нибудь дивана, он там и проспит до утра. Только вот беда, папец у нас храпит очень громко, когда напьется. Никому спать не дает. А так нормально.

Оставив мандариновые ошметки прямо на столе, Алена развернулась и скрылась в своей комнате. Кажется, я начинала понимать, из-за чего так дергается Мадам. Она боится, что муж явится в совершенно непотребном виде, и не хочет, чтобы это живописное полотно лицезрел Главный Объект. Потому и торчит поближе к входной двери. Потому и вопросы о Николае Григорьевиче задает. Потому и звонит без конца, пытается дозвониться до благоверного, чтобы, во-первых, понять, в какой степени опьянения тот находится, а во-вторых, узнать, когда он собирается прибыть к супружескому ложу. А Гомер, как водится, мобильник отключил, чтобы его глупостями всякими не доставали. А потом скажет, что у него батарейка разрядилась. Плавали, знаем...

— Ника...

Ну вот, сейчас она наконец разродится своей идеей. Что она там придумала? Давай уж скорее, что ли.

— Да, Наталья Сергеевна?

В отличие от меня Наталья умеет излагать четко, коротко и внятно. Этого у нее не отнять. В нескольких словах она описала мне ситуацию. Павел Николаевич, конечно же, не алкоголик, у него не бывает запоев, но он имеет обыкновение если уж напиваться, то до потери человеческого облика. Вот этого самого нечеловеческого облика Николай Григорьевич видеть не должен. Старый Хозяин, понимаете ли, не приемлет такого термина, как «нарушение режима». Он полагает, что если человек сильно пьян, настолько сильно, что валяется на полу в прихожей, не раздевшись, и при этом оглушительно храпит, то это уже явный признак алкоголизма. Дело в том, что у Николая Григорьевича и Аделаиды Тимофеевны есть еще один сын, младший. По имени Евгений. Так вот он настоящий алкоголик, стопроцентный, лечился неоднократно. Поэтому Главный Объект так легко допускает мысль об алкоголизме и старшего своего сына, любимого Павлушеньки. И каждый раз, если не удается Николая Григорьевича уберечь, вид валяющегося, расхристанного, пьяно храпящего Павла приводит к сердечному приступу у отца.

Надо же, оказывается, Великий Слепец способен на безумства.

— Вы хотите, чтобы я вышла на улицу, встретила Павла Николаевича и не пускала его домой, пока Николай Григорьевич не ляжет спать? — Ух какая я догадливая, самой противно.

— Ника, я была бы вам очень признательна, если бы вы...

Если бы я. Интересно, а почему не ты? Ты же жена, и это твой муж напивается, а не мой, и твой свекор болеет, а не мой. Впрочем, мой тоже болеет. Но это моя проблема, и я ее ни на кого не перекладываю. Хотя, если смотреть в корень, то Старый Хозяин и его здоровье — тоже моя проблема. Молчать, маленький язычок! Ишь, распустился. Мое дело телячье, что велят, то и делаю. Не пререкаться же мне с хозяйкой.

— Конечно, Наталья Сергеевна, я сейчас оденусь и выйду.

— Возьмите с собой Аргона.

— Я думаю, это лишнее, — осторожно возразила я.

С непослушным псом и пьяным хозяином я, пожалуй, одновременно не управлюсь.

— Но ему же все равно нужно гулять, — настаивала Наталья.

— Я потом с ним выйду.

— Ника, возьмите собаку. — В ее голосе зазвучал металл.

Тьфу ты, господи, да что же я за дура такая? Ясно как день, она боится, что Главный Объект выйдет к кефиру и сериалу и спросит, где Ника, почему кефир ему подает невестка, а не домработница. Если собаки нет, то ответ прост и понятен: Ника выгуливает Гошеньку. А если собака дома, вот она, мирно посапывает на своей подстилке в холле, то куда ушла Ника на ночь глядя? Конечно, Ника может уйти куда угодно, и в магазин (только вернется почему-то с пустыми руками, без покупок), и просто погулять (только почему-то без Аргона), и по делам (интересно, по каким?), но деда на мякине не проведешь, он только с виду тихий пенсионер, издавна поделивший весь мир на своих и чужих. Старый Хозяин все видит, все слышит и все понимает. Только до поры до времени виду не показывает, в себе держит. Кажется, я забыла сказать: он старый чекист, вышел в отставку в звании полковника КГБ.

— Хорошо, Наталья Сергеевна. Не нервничайте, я все сделаю как надо. Если вы дадите мне с собой свой мобильник, я смогу держать вас в курсе.

— Спасибо, Ника.

Впервые за весь вечер ей стало легче, даже я это почувствовала. Вот глупышка, давно бы уже сказала мне все как есть, я бы ее сразу успокоила, пообещала бы гулять с Гомером вокруг дома до тех пор, пока Николай Григорьевич десятый сон смотреть не начнет.

Я сняла кухонный передничек, натянула куртку и кроссовки, пристегнула поводок к ошейнику Аргона и отправилась защищать границу. Не сказать чтобы с большим удовольствием, потому как курточка у меня на рыбьем меху, еще в Ташкенте купленная, там ведь не бывает таких сильных холодов, как в Москве. Просто удивительно, на что мы с Олегом деньги тратили, ума не приложу! Проживали целиком всю его зарплату, даже и не думая что-то откладывать, словно завтрашнего дня в нашей жизни не будет. И почему так? Я покупала себе дорогие костюмы и фирменный трикотаж, модельную обувь и хорошую косметику, а вот до шубы или хотя бы дубленки, не говоря уж о теплом толстом свитере, дело так и не дошло. Зачем они мне? При том образе жизни домохозяйки, который я вела при Олеге, мне не нужна была теплая верхняя одежда, ведь если я (или мы вдвоем) куда-то ехали, то, разумеется, на такси. Черт возьми, я ведь даже за продуктами ухитрялась на машине ездить, хотелось накормить его повкуснее, позатейливее, и я отправлялась довольно далеко в магазины, где, как я знала, всегда есть хорошая баранина для плова, или его любимый сорт зеленого чая, или тыква (Олег обожал манты с тыквой), или еще что-нибудь. Вот куда денежки-то расходились! Если мы шли в гости или в театр, то нарядные тряпки у меня были, а до места все равно на машине добирались, так что холода я особо не чувствовала. Вот теперь мне эта легкомысленность и аукнулась. Конечно, когда мчишься с Аргоном на поводке в магазин, стараясь успеть побыстрее, а потом возвращаешься, держа в одной руке поводок, а в другой — тяжеленные сумки, то и без куртки не замерзнешь. Вечерний выгул пса тоже к замерзанию не располагал, мы с ним быстрым шагом доходили до спортплощадки, где Аргон отпускался на вольный выпас, а я делала активную разминку, бегала, прыгала, подтягивалась на турнике. Это единственное, что я могу делать для своего здоровья, живя в Семье. А вот так гулять, как мне пришлось в тот вечер, — это совсем другая история.

Далеко от дома уходить было нельзя, чтобы не пропустить Гомера. Пришлось неспешным шагом дефилировать по маршруту «по тридцать метров в обе стороны от подъезда». Время шло, организм коченел, Аргон скучал, быстренько пометив все доступные места и не испытывая ни малейшего интереса к тому, чтобы проделать все это по второму-третьему разу. А Великий Слепец где-то пьянствовал и не отвечал на звонки. Ника, Ника, для этого ли ты шесть лет училась в медицинском институте, торчала в анатомичке, зубрила по ночам латинские названия костей, а потом оттачивала свое мастерство, работая на «Скорой», чтобы теперь встречать пьяного мужика, которого нужно уберечь от встречи с впечатлительным папенькой? Куда жизнь тебя закинула, а?

Зазвенел мобильник в кармане куртки.

— Ника, Павел Николаевич только что звонил, он уже выезжает, будет минут через двадцать.

— А Николай Григорьевич?

— Смотрит сериал. Потом он будет смотреть еще какую-то передачу, только что анонс был, и он очень заинтересовался.

— Вы хотите сказать, что раньше чем через час нам появляться нельзя? — уточнила я.

— Вы уж простите, Ника, что так вышло... Но другого выхода я не вижу.

— Тогда вам придется самой варить манты для Дениса. Справитесь?

— Конечно, Ника. Спасибо вам.

Приятно. И домой ведь нельзя вернуться, чтобы погреться хотя бы эти двадцать минут, прозорливый Старый Хозяин, сидящий на кухне перед телевизором, непременно поинтересуется, куда это я потом снова отправилась. Зайти, что ли, в подъезд, там хотя бы не так холодно...

Нет, если есть двадцать минут, то я лучше прогуляюсь быстрым шагом: и сама согреюсь, и собаке развлечение. Уже почти одиннадцать, и, памятуя свои приключения у супермаркета, я решила не искушать судьбу, а обогнуть дом и пройтись по той улице, где расположено отделение милиции. Какие-никакие, а все-таки милиционеры.

Я бодро направилась в выбранном направлении и нос к носу столкнулась с Денисом. Все верно, уже без десяти одиннадцать, просто невероятно, как это современный молодой студент умудряется быть таким пунктуальным. По-моему, среди молодежи обязательность и пунктуальность никогда не были в моде.

— Привет! Гуляете?

— Гуляем.

— А манты? Я всю дорогу о них мечтал, жрать хочу до судорог.

— Тебя Наталья Сергеевна покормит.

— Да бросьте, Ника, пошли домой, поздно уже. Или вы только что вышли?

Я подумала, что получаю зарплату за домашние работы, а не за то, чтобы врать. Да и с какой стати? Может, в парне проснется сочувствие и он сам нетрезвого папашу покараулит? А потом и придет вместе с ним, как будто они у подъезда встретились.

— Я вышла давно и ужасно замерзла. Но Наталья Сергеевна попросила меня встретить Павла Николаевича.

— Зачем? — удивился Денис.

— У нее есть подозрение, что Павел Николаевич придет домой в не совсем адекватном состоянии, и ей не хочется, чтобы это видел твой дедушка. Я должна встретить Павла Николаевича и продержать его на улице до тех пор, пока Николай Григорьевич не уйдет к себе и не ляжет спать.

— Умно, — деловито кивнул Денис. — Решение оригинальное, но верное. Если дед увидит отца пьяным в хлам, такое начнется... Ладно, тогда желаю успехов.

Он скрылся в подъезде, а я с грустью смотрела на закрывшуюся дверь и думала о том, что с сочувствием я в очередной раз пролетела. Никто не собирается мне сочувствовать, потому что я кругом сама виновата. Виновата, что не оформила гражданство и не получила паспорт, виновата, что приехала из Ташкента в Москву, виновата, что захотела в Москве остаться. Виновата даже в том, что меня бросил муж. А раз сама виновата, то чего меня жалеть?

А возле отделения милиции кипела жизнь! Но какая-то странная, не милицейская. Помимо машин с голубой полосой, перед зданием были припаркованы автомобили самого разного калибра, от скромных «Жигулей» до навороченных иномарок. На крыльце стояла группа солидных мужчин в дорогих пальто и куртках, все они оживленно и шумно что-то обсуждали, громко хохотали, жали друг другу руки. Аргон нашел под чахлым кустиком что-то интересное и надолго задумался, я не стала его дергать, пусть пес развлечется. Стояла и смотрела на милицейское крыльцо. Мужчины постепенно спускались с крыльца, садились в машины и уезжали, их места перед входом занимали другие, выходящие из здания. Когда появился очередной фигурант, то по огромным букетам, которые он нес в руках, я поняла, что здесь справляли чей-то день рождения. Скорее всего, начальника или кого-то из замов, и все эти дядьки на иномарках и в дорогих пальто приехали поздравить юбиляра. А мне уже так давно никто не дарил цветы...

Увлекшись разглядыванием букетов, которые суетливые прихлебатели укладывали в одну из машин, я и не заметила, как из общей массы поздравлянтов отделилась одна фигурка и двинулась в мою сторону.

— Добрый вечер, — послышался негромкий голос рядом со мной.

Я вздрогнула от неожиданности и с недоумением уставилась на невысокую неказистую личность в мятом плаще, вышедшем из моды, по-моему, еще до моего рождения.

— Здравствуйте, — машинально ответила я.

— У вас что-то случилось?

— Нет, у меня все в порядке. А что?

— Просто я смотрю, вы стоите прямо перед отделением милиции уже минут десять и никуда не уходите. Так обычно ведут себя люди, которые нуждаются в помощи, но не решаются зайти и попросить.

Я рассмеялась:

— Это собака стоит, а не я. Я просто жду, когда она завершит все свои важные дела.

В темноте мне было плохо видно лицо неожиданного собеседника, но все-таки удалось разглядеть, что ему под шестьдесят и что красотой он не блистал даже в лучшие годы своей молодости. От него пахло дешевым одеколоном и дорогим коньяком. То есть его на юбилее тоже угостили, наряду со всеми этими вальяжными, довольными жизнью, модно одетыми владельцами иномарок. Наверное, вон те жалкие ржавые «Жигули» как раз ему и принадлежат.

— В таком случае прошу прощения, — личность в мятом плаще изобразила легкий полупоклон. — Не смею мешать.

Он отошел от меня, но не сел в машину, а направился в сторону метро. Я посмотрела на часы: двадцать минут на исходе, пора возвращаться на позицию и занимать оборону.

Я едва успела. К подъезду мы приблизились с разных сторон, вернее, я подошла, а Гомер подъехал. Он не заметил меня, долго и с трудом выбирался из салона, путаясь в собственных ногах, потом стоял в полусогнутом виде, опираясь об открытую дверь, и разговаривал с человеком, сидящим в машине. Я так понимаю, это и был нарушитель Семейного спокойствия, некто Слава, с которым Гомер набрался, а теперь трогательно и проникновенно прощался. Наконец машина уехала, Великий Слепец разогнулся и, с трудом передвигая ноги, понес себя к двери подъезда. Тут-то я его и перехватила.

Я как-то уже упоминала о том, что благодаря работе на «Скорой помощи» получила обширный опыт общения с пьяными. Опыт этот позволил мне сформулировать ряд законов, один из которых гласил: «Никогда не пытайся объяснить пьяному, что он пьян, если он сам этого не понимает. Он все равно тебе не поверит». Поэтому не было никакого смысла говорить Павлу Николаевичу ни заранее по телефону, ни прямо сейчас о том, что ему не следует идти домой в таком виде, потому что он безобразно пьян и Николай Григорьевич просто не вынесет такого непотребного зрелища. А пьян он был крепко. Знаете, есть такой вариант опьянения, когда тело, следуя заданной программе, движется в сторону дома, но мозг уже не функционирует и ничего не соображает, и создается ложное впечатление, что раз человек держится на ногах и даже сознательно идет по нужному маршруту, то он еще вполне адекватен и с ним можно иметь дело. Нельзя. Ему ничего невозможно объяснить, потому что он тебя не слышит и слов твоих не воспринимает. Вернее, не так. Слова он воспринимает, но, во-первых, выборочно, то есть не все подряд, а каждое третье, и во-вторых, понимает их довольно-таки своеобразно. Поэтому слова должны быть очень простыми, хорошо знакомыми и понятными. И кроме того, их должно быть много, чтобы воспринятая треть оказалась достаточно информативной. Отсюда вытекал второй закон общения с пьяными: говорить нужно много, но медленно, по двадцать раз повторяя одно и то же, фразы должны быть короткими, желательно без прилагательных, то есть, по возможности, одни только существительные, местоимения и глаголы.

— Посидите, — я буквально толкнула Гомера на скамейку, стоящую перед подъездом.

Потом села рядом, крепко вцепившись свободной рукой в рукав его кашемирового пальто, дабы пресечь несанкционированные попытки проникновения в подъезд.

Теперь нужно сделать паузу, чтобы он осознал, что сидит, а не идет, и что рядом с ним сижу я. На паузу ушло около минуты. Он немножко пораскачивал головой, потом сфокусировал взгляд на мне.

— О... Ника...

— Правильно, — одобрительно кивнула я.

— О... Гошка...

— Тоже правильно.

— А Патрик где?

— Дома.

— А мы?

— А мы на улице. На улице мы сидим. Здесь

свежий воздух. Дышать полезно. Собака гуляет. Мы ждем. Она гуляет — мы ждем. Дышим воздухом. Это полезно для здоровья.

— Хорошо, — Гомер удовлетворенно хрюкнул. — Гошка, я с тобой гуляю. Гошка, иди сюда.

Аргон немедленно подошел и мордой ткнулся хозяину в колени.

— А Славик где?

— Славик уехал, — терпеливо объяснила я. — Он спит. Уже поздно.

— А я?

— А вы гуляете.

— Почему? А спать?

— Сначала гулять. Потом спать. Все по очереди. Сначала одно, потом другое. Сначала гуляем, потом спим.

— Мы с вами вместе гуляем? — уточнил Гомер.

— Вместе.

— А спим?

Даже в пьяном виде он ухитрялся сохранить пытливый ум. Забавно.

— Спим отдельно.

— Хорошо, — снова хрюкнул он.

Да уж неплохо. Мне не хватало еще только спать вместе с ним. Но я поторопилась. Потому что уже через мгновение Великий Слепец сладко спал на моем плече, сотрясаясь от собственного храпа. Миленько так, без затей.

Я вытащила из кармана мобильник и позвонила Мадам.

— Наталья Сергеевна, все в порядке, Павел Николаевич приехал.

— Где вы?

— На лавочке у подъезда.

— В каком он состоянии?

— Ну как вам сказать... В плохом. Николаю Григорьевичу лучше этого не видеть.

— Он смотрит телевизор. — В голосе Натальи зазвучала такая тоска, что мне стало жалко ее.

Все-таки она хорошая баба, ну, с придурью, но кто из нас без нее?

— Передача оказалась такой длинной, все не кончается и не кончается, — жалобно проговорила она. — Вы, наверное, замерзли?

— Замерзла, — подтвердила я.

А с какой стати я должна щадить ее и врать, что мне тепло и уютно? Все-таки зарплату она мне платит большую, так пусть отдает себе отчет, что за эти деньги я не прохлаждаюсь и не удовольствие получаю, а честно работаю и делаю даже то, что мне не нравится.

— Денис поел? — спросила я.

— Да, как раз сейчас кушает.

— Ему нравится?

— Да. — Мне показалось, что Наталья улыбнулась. — Говорит, очень вкусно.

— Ну и слава богу. Так что не беспокойтесь, Наталья Сергеевна, все будет в полном порядке. Мы тут посидим сколько надо. Только вы сразу позвоните, когда можно будет возвращаться.

114

В общем, если я скажу, что следующие минут сорок я наслаждалась жизнью, я совру. Гомер навалился на меня всеми своими ста килограммами, храпел и дышал мне в лицо выхлопом от того, что выпил и съел. Меню, судя по всему, было разнообразным и изобиловало острыми приправами. Аргон скулил, не понимая, что происходит и почему его заставляют бессмысленно крутиться на одном пятачке радиусом в длину поводка. Мимо нас в подъезд проходили люди, бросали на странную парочку быстрый и какой-то брезгливый взгляд и торопливо исчезали внутри. Странно, но никто не остановился, не попытался поздороваться с Гомером или хотя бы приветственно кивнуть, узнать, что случилось и не нужна ли помощь, тем более что Павел Николаевич сидел все-таки в обществе совершенно посторонней женщины, а вовсе не законной супруги. Такое впечатление, что жильцы дома друг с другом не знакомы и не общаются. Да, это не Рио-де-Жанейро. В смысле — не Ташкент. У нас там все было по-другому.

Зимний сырой холод нахально проползал в рукава, за воротник и снизу под джинсы, растекался под одеждой по всему телу и обустраивался там основательно и надолго. Я сидела на жесткой скамейке, ерзала от озноба и утешала себя мыслями о занавесочке для ванной.

Почему о занавесочке? Сейчас объясню. Когда-то давно, в первый год моей работы на

«Скорой», произошла со мной одна штука. Мы выехали на ДТП с ранеными, среди пострадавших была женщина с ребенком, мальчиком лет восьми. Мальчик сидел на заднем сиденье машины, поэтому пострадал меньше, чем его мать, ехавшая впереди, рядом с водителем. Женщина была такой тяжелой, что мне в какой-то момент показалось: не довезем, не вытащим. Она уходила прямо на глазах. Я отчаянно делала все, чему меня учили в институте и чему я успела научиться на практике, но она уходила. И не было никакой возможности ее задержать. И вдруг я зажмурилась и представила себе, как она, выздоровевшая, счастливая и веселая, стоит на пороге моей квартиры с огромным букетом цветов. И мальчик рядом с ней, тоже улыбается и протягивает мне какую-то мягкую игрушку, не то слоника, не то козлика, я не разобрала, но игрушка была большая и серая. Я увидела это так явственно, что сама испугалась. «Ты выдержишь, — мысленно закричала я, — ты соберешь все силы и выдержишь, в больнице уже готовят операционную, вызвали всех врачей, самых лучших, я помогу тебе доехать, и все будет хорошо, все будет хорошо, я очень хочу, чтобы ты выжила и поправилась». Я продолжала делать все, что необходимо в таких случаях, и, чтобы не видеть ее угасающего лица, удерживала перед глазами ту картинку, на которой она с сынишкой стоит на пороге моей квартиры.

Мы довезли ее. Она выжила. И через два месяца пришла ко мне домой с сыном, цветами и мягкой игрушкой. Это был огромный лопоухий мышонок. Серый. С белой грудкой. Я чуть в обморок не упала. Они горячо благодарили меня и не понимали, почему я плачу. А я плакала, и тоже не понимала почему.

Я твердо знаю, что я не экстрасенс. И дара предвидения у меня нет. Но из того случая я извлекла свой урок: надо точно представлять себе, чего ты хочешь, надо отчетливо видеть дальнюю цель, и тогда все остальное выстроится на пути к этой цели нужным образом. И после этого каждый раз, когда у меня случались тяжелые больные, я представляла себе их здоровыми и счастливыми и цепко удерживала эту картинку в голове, пока остальная часть мозга быстро принимала решение о том, что делать. Механизм был прост, никакой мистики. У каждого человека есть своя палочка-выручалочка, помогающая принимать единственно верные решения. У кого-то это сигарета и чашка кофе, у кого-то — органная музыка, у кого-то пробежка на лыжах. У моего мозга такой помощницей оказалась картинка «из будущего». Вот и все. Я представляю себе благополучный исход, и все мои знания и опыт выстраиваются в аккуратном порядке, чтобы довести дело до этого исхода.

Я хочу жить и работать в Москве. Я не могу дать этому никакого логичного объяснения, которое могло бы удовлетворить взыскательного москвича, надрывно вздыхающего над проблемой мигрантов из бывших союзных республик, которые «понаехали и прямо житья от них нет». Я не могу привести в свою защиту ни объяснений, ни оправданий. Но я ведь и не обязана оправдываться. Я просто рассказываю свою историю. Если я кого-то раздражаю своим желанием жить в этом городе — не слушайте. Я не обижусь. Так вот, я хочу жить и работать в Москве. Для этого мне нужна квартира, прописка, гражданство, паспорт и работа. Причем последний элемент — работа — самый беспроблемный, он логично вытекает из наличия всех прочих элементов. Самый главный и сложный элемент — квартира, без нее не будет всего остального. И вот когда я все-таки накоплю деньги (лет через пять, не раньше), я пропишусь, оформлю свой статус, устроюсь на работу и начну потихоньку благоустраивать свое жилье. Сначала буду копить на самое необходимое — спальное место, стол, стул, плиту и кухонный шкафчик для посуды. Потом на все остальное. А когда вся мебель будет стоять на своих местах, подойдет очередь разных мелочей, таких, как скатерть, ваза для цветов и все прочие предметы, без которых вполне можно обойтись, но которые делают жизнь приятной и уютной. И последней в этом списке у меня стоит занавесочка для ванной. Я точно знаю, что она будет ярко-бирюзовая с рисунком в виде зеленых водорослей и красных рыбок. Наверное, это будет еще очень не скоро, лет через десять, а то и больше. Но я умею ждать. Тот день, когда я пойду покупать эту занавесочку, будет для меня самым счастливым.

Мыслями об этой занавесочке я и грелась, сидя на скамейке перед подъездом и слушая храп Гомера. Бирюзовая занавеска горела впереди, сверкала, переливалась и манила меня, как маяк манит и обнадеживает усталого измученного долгим плаванием моряка.

Приятные мечты о занавесочке для ванной то и дело перебивались вполне практическими соображениями, касающимися домашнего хозяйства. Увы, не моего собственного, а Семейного. Например, о том, почему темнеют концы листьев у одного из спатифиллумов. Всего их было три, два стояли в гостиной, и один — в спальне хозяев. Два чувствовали себя прекрасно и периодически выбрасывали красивые белые цветки, один же, несмотря на наличие цветка, отчего-то хандрил и не реагировал ни на целебные подкормки, ни на ласковые слова, которыми я его баловала ежедневно. А уход за многочисленными цветами, заведенными в доме еще покойной Аделаидой Тимофеевной, тоже входил в мои обязанности. И не дай бог какому-нибудь цветку начать хиреть! Мадам тут же заметит и не преминет сделать замечание. И ведь что любопытно, сама Наталья Сергеевна не знает ни одного названия, не отличает спатифиллум от диффенбахии, а сингониум от сциндапсиса, страшно удивляется, когда я говорю ей, что одни растения нужно поливать умеренно и часто, а другие — редко, но зато обильно, от меня она впервые услышала, что цветы нужно подкармливать, причем весной и летом раз в две недели, а осенью и зимой — раз в два месяца, потому что они спят. Ей вообще, как выяснилось, даже в голову не приходило, что цветы могут спать. Пока была жива Адочка, она сама занималась зелеными насаждениями, никому не доверяла, квартира стала похожа на ботанический сад, в котором все цвело и благоухало. После ее смерти цветы, расставленные по всей шестикомнатной квартире, стали приходить в уныние, потому что поливать их забывали, а когда вспоминали, то лили неотстоянную воду литрами во все подряд, кормить так и вовсе не кормили, а о пересаживании и речи не было, все смутно помнили, что бабушка что-то такое делала периодически, но что именно и зачем — представления не имели. Однако же красоты и ароматов хотелось всем. Посему мне было поручено, помимо здоровья Главного Объекта, желудков всех прочих членов семьи, содержания в должном состоянии их одежды и обуви, животных числом три, порядка и чистоты всей территории квартиры, еще и следить за растениями. Чтобы вам было понятно, сколько там цветов, скажу лишь, что на однократный полив у меня уходит двадцать пять литров воды. То есть пять пятилитровых баллонов. И все же, почему один из спатифиллумов грустит? Я что-то не так делаю? Или шкодничает кто-то из животных? Вряд ли это Аргон, он все больше по кожаным изделиям ударяет. Каська? Или хулиганистый Патрик? Этот может, особенно если учесть, что беспокоящий меня цветок стоит в гостиной рядом с диваном как раз с той стороны, где всегда смотрит телевизор Алена, это ее законное постоянное место. А что, если поменять горшки местами и посмотреть, что получится?

А еще я твердила про себя свою любимую молитву:

«Храни меня от злых мыслей,

Храни меня вдали от тьмы отчаяния,

Во времена, когда силы мои на исходе,

Зажги во мраке огонь, который сохранит меня,

Дай мне силы, чтобы каждое мое действие было во благо других...»

Но все когда-то кончается, и относится это в равной мере и к счастливой жизни, и к неприятностям. Мадам позвонила и дала отмашку. Можно было будить Великого Слепца и волочить его в лифт. Любопытно, что ей даже в голову не пришло прислать мне в помощь Дениса. Или самой спуститься. Хорошая она баба, но с мыслительной деятельностью у нее прямо беда. Какие-то там, видно, дефекты.

С вялой полусонной тушей я справилась с трудом. Но справилась. С того дня «встреча пьяного гостя» прочно вошла в круг моих обязанностей. Это и стало той самой точкой под названием «Гомер». Я могла бы возмутиться и заявить, что делаю это в первый и в последний раз, что больше никогда... и ни при каких условиях... и пусть тогда Денис делает это вместе со мной... В общем, я нашла бы что сказать, если бы захотела. Я стояла на развилке и принимала решение: ввязываться мне в это мероприятие на постоянной основе или взбунтоваться. Я решила не бунтовать. Мне нужна была эта работа. И мне нужно беречь Николая Григорьевича. Если я взбунтуюсь, Великий Слепец пить не перестанет и проблема сама собой не рассосется. Просто образ мысли и характеры членов Семьи заставляют меня сильно сомневаться в том, что они смогут решать эту проблему грамотно и без ущерба для здоровья Главного Объекта. Конечно, раньше они как-то справлялись и без меня, и вполне вероятно, что и в дальнейшем справились бы. Но именно что «вероятно». То есть не наверняка. А рисковать я не могу. Тем паче, как я поняла из рассказа самой Мадам, дед выдавал тяжелейшие приступы при виде пьяного сыночка, стало быть, решать проблему им удавалось далеко не всегда.

От точки «Гомер» моя жизнь пошла по той ветке, на которой периодически возникали длительные вечерние прогулки вдоль дома. И разве могла я тогда предвидеть, к чему все это приведет?

НА СОСЕДНЕЙ УЛИЦЕ

«Ну что, старая гадина, не вышло у тебя ничего? Не вышло. Думала заграбастать все, что мои родители накопили, дочку свою, уродину, замуж пристроить с эдакими деньжищами, покайфовать на старости лет на чужой дачке да на чужой квартирке. Не вышло. Разгадал я тебя. Скажи спасибо, что тебя господь сам прибрал, а то сейчас тебе бы небо с овчинку показалось. Скажи спасибо, что не можешь слышать моих слов, потому что сейчас я произношу их про себя, а если бы ты была жива, то рано или поздно я бы тебе все это в глаза сказал. Старая сука!»

— Пойдем, Игорь, — Вера осторожно тронула его за плечо.

— Да-да, извини, сейчас идем.

Он встряхнулся и ласково посмотрел на двоюродную сестру. Глаза у нее сухие, лицо спокойное. Посещение кладбища, где похоронена ее мать — его тетка, родная сестра его матери, не вызывало у Веры ни слез, ни причитаний, она отгоревала первый год после похорон и с того момента навещала могилу только для того, чтобы прибраться, посадить цветы, вымыть памятник. Игорь всегда ездил вместе с ней, в хлопотах не помогал, молча стоял перед оградкой и мысленно разговаривал с теткой. Высказывал ей все, что накопилось, испытывая от этого какое-то сладкое и одновременно мучительное удовольствие.

А Веру он любил. Она ведь ни при чем, она тогда совсем девчонкой была и в коварные замыслы матери не посвящалась. Да, в юности она была не то чтобы уродиной, то какой-то такой... Неинтересной. Без изюминки. Мужики на нее не заглядывались, и тетка страшно боялась, что дочка засидится в девках. Однако же ничего, нашелся и на нее желающий, да и Вера, как оказалось, относилась к тому типу представительниц прекрасного пола, которые из некрасивых девушек как-то незаметно превращаются в очаровательных женщин, стильных, элегантных. Старая сволочь тетка, правда, этой радости уже не застала, померла восемь лет назад, а замуж Вера вышла совсем недавно. Даже странно вспоминать, что было время, когда Игорь считал дурнушку Веру красавицей. А все тетка, все она, стерва, внушала ему, что он никуда не годный уродец, а Верочка чудо как хороша. Пришло время, и он прозрел, он все понял про тетку, про ее желание полностью подчинить его себе, привязать к своей юбке, заставить в рот ей заглядывать.

Родители Игоря погибли в авиакатастрофе, когда ему было всего девять лет. В их огромную квартиру из крошечной однокомнатной в хру-

124

щевке немедленно переехала тетя Аня, сестра матери, со своей пятнадцатилетней дочкой Верочкой. Тетя Аня оформила опекунство как ближайшая родственница. Соль же вся была в том, что и отец Игоря, и его мать трудились в сфере торговли и наворовали столько, что хватило бы на три жизни. И не абы какой, а роскошной и благоустроенной. А поскольку происходило это все в семидесятые годы, наворованные ценности хранились не в сберкассе и не в виде недвижимости (квартира и дача не в счет), а дома в многочисленных кубышках, в виде как денежных купюр, так и ювелирных изделий. То есть никаких проблем с вступлением в наследство не возникало, тетка и ее дочь жили в квартире, принадлежащей теперь Игорю, пользовались его дачей и потихоньку тратили то, что было спрятано в тайниках. Вернее, тратила одна тетка, Вера ничего не знала, Игорь был в этом уверен. А может, и знала... Да нет, скорее всего, не знала, и она, и маленький Игорь не задавались вопросами, откуда у тети Ани деньги на обновки, отнюдь не дешевые, они верили всему, что им говорилось. А говорилось, что тетя работает в стройтресте (как и было на самом деле) и регулярно получает премии и прогрессивки немереных размеров (а вот это уже было ложью, но доказать ее мог бы только следователь прокуратуры, а отнюдь не юная девушка и подросток).

С самого начала тетя Аня взялась за обработку племянника. И ничего-то он не знает, и ничего-то не умеет, и никчемный он, и уродливый, и постоять за себя не может, и вообще без тети Ани, без ее помощи, поддержки и, главное, мудрых ее советов, он пропадет. Тетя теперь самый близкий его родственник, и он должен ее любить, почитать и беспрекословно слушаться.

Игорь слушался. Делал вид, что любил и почитал, хотя на самом деле тетку терпеть не мог. Но успеха в своем деле она, безусловно, достигла: Игорь свято уверовал в то, что он никчемный, слабый, безвольный, уродливый, глупый и не может за себя постоять. Очнулся он примерно за три-четыре года до теткиной смерти, когда случайно обнаружил родительские деньги и ценности, о которых до той поры и ведать не ведал. Был уверен, что живут они на теткину и Верочкину зарплату да на пенсию, которую государство выплачивало ему в связи с потерей кормильца. А сначала-то и Верочкиной зарплаты не было, пока она еще училась. Потом, когда ему исполнилось восемнадцать, пенсию выплачивать прекратили, но Игоря как раз в это время забрали в армию. Вот тут-то тетка, видно, и развернулась, почувствовала себя на воле. А Игорь возьми и приедь в отпуск без предупреждения. Явился он днем, когда тетя Аня и Вера были еще на работе, быстро принял душ и полез в шкаф за чистой одеждой.

Сначала он ничего не понял, некоторое время тупо разглядывал золотые изделия с бриллиантами и изумрудами, золотые монеты и просто слитки, лишь на периферии сознания испытывая удивление от того, что раньше в этом самом шкафу ничего такого не было. Потом до него стало доходить. Припомнились слышанные в далеком детстве обрывки фраз, которых он тогда не понимал. Дескать, интересно, куда все девалось, где оно хранится, сколько там всего, ведь должно быть очень много... В двадцать лет он легко понял то, чего не мог понять в девять и даже в тринадцать. Отец погиб, когда ему было почти шестьдесят и за плечами он имел тридцать пять лет «безупречной службы» в торговле. Мама была его третьей женой, намного моложе мужа, так что ее десять лет в сфере товарооборота принесли не такую большую прибыль, как папины тридцать пять. А вместе должно было получиться много, ох, как много! Игорь как-то не задумывался раньше, насколько честными были его родители, наличие большой квартиры, дачи и машины считал само собой разумеющимся, ведь он так жил с самого рождения и искренне полагал, что только так оно и может быть. Когда он вступил в разумный возраст, позволяющий критически оценивать информацию о старших, в том числе и о родителях, был уже конец восьмидесятых, подпольно нажитые капиталы выходили на поверхность, и слова «растрата, хищение, обман покупателей, пересортица, левый товар, ОБХСС» утратили свой былой устрашающий смысл. Посему ему ни разу не пришел в голову совсем простой вопрос: если родители работали честно, то на какие шиши приобретены кооперативная квартира, дача и машина, а если они работали нечестно, то где результат? Где оно, вещественное воплощение их торговых махинаций? Ведь квартира, дача и машина были еще до рождения Игоря, а что делали мама с папой следующие девять лет? Неужели перековались, наворовав на «прожиточный минимум», и остановились?

И только теперь, глядя на раскрытый чемодан с ценностями, он понял, каким слепым дураком был все эти годы.

Решение он принял мгновенно, понимал, что времени у него непонятно сколько, может, много, а может, всего минут двадцать. Схватил фотоаппарат и методично отщелкал две пленки — хорошо, что купил по дороге. Игорь не надеялся на память и отдавал себе отчет, что не сможет запомнить, чего тут и сколько.

И оказался прав. Тетка, увидев его дома, страшно перепугалась, а Игорь весело щебетал, за обе щеки уплетал вкусный обед и вечером ушел к приятелю. А когда вернулся, в шкафу все было точно так, как до его ухода в армию. То есть совсем не так, как в тот же день несколькими часами раньше.

Фотографии он проявил и отпечатал сам, у приятеля, в ателье отдавать не рискнул, мало ли какие вопросы возникнут. И потихоньку, оставаясь в квартире днем, сделал по снимкам подробную опись обнаруженного богатства. А через год, уже демобилизовавшись, дождался, пока тетя Аня и Вера уедут на несколько дней на дачу, и устроил дома форменный обыск. Нашел все тайники и тщательно сверил имущество по описи. За год ценностей поубавилось, причем весьма прилично. По его прикидкам, этих денег хватило бы на квартиру и машину.

Игорь не был жадным и не стал морочить себе голову вопросами, на что потрачены деньги, на шмотки или на любовников. Какая разница? Важно другое: его много лет обманывали. Алчная тетя Аня скрывала от него, что от родителей осталось большое наследство, и тратила его исключительно на себя и свою дочь. Она стремилась к тому, чтобы Игорь находился в полном ее подчинении и не смел слова вякнуть или о своих правах заявить, не смел вопросы задавать и вообще ничего не смел. Она таким его воспитывала. И, пожалуй, почти воспитала. Хорошо, что все вовремя открылось.

С того дня он стал регулярно проверять тайники и отмечать исчезновение то кольца, то браслета, то золотого слитка. Тетя Аня то и дело появлялась в новых шмотках, ездила с любовником за границу, устраивала в ресторанах шумные и многолюдные празднования своего дня рождения и дня рождения Верочки, при этом с ясными глазами уверяла, что все это совсем недорого и оплачено ее любовником или ею самой с какой-то невероятно большой премии в связи с удачным завершением совместного с иностранной фирмой проекта. Хотя Игорь точно знал, что она врет, но уличить ее во лжи не мог. С этим надо было что-то делать. А что — он не знал. Слишком силен был эффект теткиного воспитания: он ненавидел ее, но сказать вслух не смел ни слова.

Он начал всерьез подумывать о том, чтобы убить ее. Но судьба помогла, отвела от греха, послала тете Ане болезнь лютую и скоротечную. Так что не вышло у нее ничего. Пока Игорь был маленьким, она не могла тратить деньги слишком расточительно, все-таки при советской власти такие фокусы не проходили, так что до начала девяностых потрачено было совсем немного. А уж когда дикий капитализм начался и никто ни у кого ничего не спрашивал, трать сколько хочешь, тогда бы тете Ане и развернуться. Ан нет, всего-то три-четыре годика пожила она на неправедные денежки и отошла в мир иной.

Что она за это время успела, кроме как одеться с ног до головы и объездить с любовниками всю Европу, проживая в самых дорогих отелях и летая первым классом? Успела кое-что.

Во-первых, продала однокомнатную квартирку в хрущевке и купила для Верочки хорошенькую «двушку», чтобы девочке было с чем замуж выходить. Отремонтировала ее и обставила. Дочери сказала, что подвернулся удачный обмен с совсем крошечной доплатой, а та и поверила, тоже ведь в рот матери смотрела и вякать не смела, тетя Аня именно потому так успешно произвела воспитательный процесс над племянником, что предварительно отработала методику на собственной дочке. Во-вторых, милая тетушка купила лично для себя и не скупясь обставила «трешку» в элитном доме, которую до поры до времени держала законсервированной и использовала только для интимных встреч. Предусмотрительной была, понимала, что Игорь рано или поздно женится и встанет вопрос о том, чтобы родственнички убирались по месту постоянной прописки. Или не женится, а просто повзрослеет настолько, что посмеет встать на дыбы. В квартире Игоря ей было удобно — центр, от метро близко, до работы добираться пятнадцать минут, а от нового ее жилья — все полтора часа выйдет, да и тайники с ценностями здесь, под рукой, а на новой квартире, даже если удастся все вывезти, хранить это богатство негде, не дай бог украдут, так что пока была возможность, тетя Аня изображала заботливую родственницу, без опеки которой парень немедленно пропадет, и съезжать не торопилась.

Игорь терпел и набирался сил для рывка. Он понимал, что должен переделать себя, создать себя заново, стереть из памяти и из души того послушного и безропотного мальчика, который НЕ СМЕЕТ. Не смеет подозревать и плохо думать о тете Ане, не смеет спрашивать и требовать ответа, не смеет залезть в тайники и все перепрятать, а потом смотреть на тетку невинными глазами и говорить, что не понимает, о чем речь, о каких ворах и каких ценностях.

Он всерьез занялся собой. И когда ему показалось, что он уже близок к поставленной цели, что еще чуть-чуть — и он ПОСМЕЕТ... Вот тут-то тетка и умерла. Очень кстати.

Дальше все было просто. Тактичная Верочка тут же переехала сначала к себе, в новую «двушку», а спустя год, после окончания всех юридических формальностей с наследством, в мамину «трешку». Похоже, она не меньше Игоря испытывала давление матери и страдала от него, потому что, осиротев, как-то на удивление быстро расцвела, похорошела, а через некоторое время, когда ей было уже хорошо за тридцать, и замуж вышла. Игорь был на свадьбе, веселился вместе со всеми и искренне радовался за сестру. Он не был злым, во всяком случае по отношению к Вере, и у него хватало ума понимать, что она точно такая же жертва тети-Аниной жадности и наглости, как и он сам. И жених Верочкин ему понравился, хороший мужик. Дай им бог счастья и любви, пусть живут в добре и согласии.

Однако же работа над собой, оказавшаяся ненужной с точки зрения борьбы с теткой, принесла Игорю немало пользы. Он внимательно и кропотливо пересмотрел всю свою жизнь и, к собственному удивлению, понял, что главным чувством, преследовавшим его с того момента, когда в его жизни появилась тетя Аня, было чувство униженности. А причиной этой униженности было то, то он НЕ СМЕЛ.

Из этого удивительного открытия родилось Дело, которому отныне Игорь Савенков посвящал основную массу времени и сил, свободных от работы и личной жизни. Дело дарило ему наслаждение. Такое наслаждение, какое не могла дать ему ни одна женщина, ни одна самая лучшая книга и никакая самая прекрасная музыка.

* * *

Проводив Веру с кладбища до ее дома, Игорь сел в машину и направился туда, куда влекло его Дело. Сегодня среда, по средам она возвращается домой около семи вечера, проверено неоднократно. Он купил большой букет цветов и занял позицию у выхода из метро «Сокольники». Ждать пришлось недолго, у этой женщины жизнь размеренная, по часам выверенная, эксцессов не предусматривающая.

Вот и она. Усталая, лицо безрадостное, глаза потухшие. Идет тяжело, и все ее годы на виду, ни один не спрячешь. Ей должно быть пятьдесят два — пятьдесят три, Игорь помнил, что она всегда была на двадцать лет старше его.

— Здравствуйте, Ольга Петровна, — он шагнул ей навстречу, протягивая букет.

— Это опять вы?

Но не удивилась, словно знала, что он снова будет встречать ее. Знала и ждала. Хотя сейчас, как и в прошлые разы, начнет делать вид, будто для нее это полная неожиданность.

— Опять я. Вы мне не рады?

Она не ответила, но букет взяла, поднесла к лицу.

— Хорошо пахнут.

Цветы скрыли ее улыбку, но Игорь был уверен, что улыбка была. Точно была.

— Позвольте, я вас провожу?

— Проводите. Хотя я все равно не понимаю, зачем вам это нужно, Игорек. Вы такой молодой, красивый мужчина, ну что вам за интерес провожать такую скучную старуху, как я.

— Вы не старуха, Ольга Петровна, вы — Женщина с большой буквы, и я прошу вас больше никогда так о себе не говорить. Это оскорбительно.

— Для кого оскорбительно? Для меня?

— В первую очередь для меня. Такими словами вы оскорбляете мои чувства.

— Вы не похожи на современных тридцати-летних мужчин, Игорек, — заметила она, теперь уже открыто улыбаясь. — Вы как будто из другого поколения.

— Почему?

Он отлично знал, почему, и хорошо понимал, что именно она имеет в виду. Но он хотел, чтобы Ольга Петровна сама сказала. Вслух. Это доставит ему удовольствие.

— Потому что современные тридцатилетние мужчины не знают таких понятий, как оскорбление чувств. И даже если что-то подобное испытывают, все равно не находят нужных слов, чтобы это выразить. Наступила эпоха словесного оскудения. Я ежедневно слушаю, как говорят мои ученики, и прихожу в ужас, ведь они владеют от силы тремя десятками слов, и уж конечно, при помощи этих жалких трех десятков не могут сформулировать ни одну более или менее сложную мысль. А у вас, похоже, были в школе хорошие учителя литературы и русского языка.

Вот. Она это сказала. Игорь был наверху блаженства. Да, учителя у него были хорошие, особенно одна, которая вела литературу и русский с седьмого по десятый класс. Ольга Петровна Киселева. Боже, как она была красива! Во всяком случае, Игорю так казалось. Он таял от восторга, глядя на нее, сердце его готово было разорваться, и он ненавидел звонок, возвещающий об окончании урока. На ее уроках он готов был сидеть вечно. А она его даже не помнит... Ни в лицо (но это ладно, за столько-то лет он наверняка сильно изменился), ни по фамилии. Впрочем, чему удивляться, ведь сколько учеников через ее руки прошло за эти годы, разве всех упомнишь! Хотя его-то, Игоря, она уж, казалось бы, должна была помнить. Ведь не каждый день такое случается. А с другой стороны, откуда ему знать? Может, и каждый день. Черт их знает, учителей, что у них там происходит на самом деле. Однако факт остается фактом: Ольга Петровна Киселева забыла своего ученика Игоря Савенкова. Ну и пусть. Придет время — он ей напомнит. Или не напомнит, видно будет по ситуации. Он сам решит.

— Ольга Петровна, вы не хотите мороженого? — предложил он.

— Спасибо, нет. Какое мороженое в такой холод, что вы!

— А чего вы хотите?

— Ничего, — она взглянула удивленно, непонимающе. — Спасибо, Игорек, я ничего не хочу.

— Но мне хотелось бы сделать вам что-нибудь приятное.

— Вы подарили мне цветы, этого вполне достаточно. И вы скрашиваете мне дорогу от метро до дома.

— Значит, я не могу больше ни на что рассчитывать?

Этот вопрос Игорь подготовил заранее. Он встречает Ольгу Петровну по средам у выхода из метро уже полтора месяца. С девушками и молодыми женщинами все происходит куда быстрее, не то что с пожилыми учительницами. В первый раз Игорь изобразил случайное знакомство, нашел повод заговорить, постарался понравиться, вовлек ее в беседу и незаметно проводил до самого дома. В следующий раз ждал ее с цветами и смущенно уверял, что сам не понимает, что это с ним такое, но их встреча неделю назад оставила в его душе ощущение чего-то родного и теплого, и он просто не мог отказать себе в удовольствии... и так далее. Трудно сказать, поверила ли она, но цветы взяла и всю дорогу до дома поддерживала оживленную беседу. В следующую среду все повторилось, и в следующую, и еще в следующую. Но все словно заморозилось. Она не предлагала Игорю зайти в гости на чашку чаю и не давала ему повода спросить номер ее телефона. Но Игорь не торопился. А куда ему спешить? Все будет идти своим чередом, и все сделается тогда, когда должно будет сделаться. Он понимал, что есть еще одно обстоятельство, которое сдерживает его, не давая проявлять излишнюю торопливость. Да, когда-то она казалась ему олицетворением красоты мироздания. Когда-то, но не теперь. Теперь Ольга Петровна Киселева была обычной женщиной за пятьдесят, утратившей четкость черт лица и изящество линий тела, расплывшейся, с незакрашенной сединой и не совсем аккуратным макияжем — следствием возрастной дальнозоркости и утраты кожей молодой упругости. И ни малейшего вожделения она у Игоря не вызывала. Так что торопиться и вправду некуда.

Но и стоять на месте вроде бы бессмысленно, не для того все затевалось. Поэтому к сегодняшнему свиданию Игорь подготовил вопрос, который вполне, как ему показалось, уместно задал:

— Значит, я не могу больше ни на что рассчитывать?

Она с интересом взглянула на него, и Игорю показалось, что в глазах учительницы мелькнуло что-то похожее на обиду.

— А на что вы, собственно, хотите рассчитывать, Игорек?

Его бесило это «Игорек», она разговаривала с ним как с мальчишкой, как с учеником, подчеркивая тем самым огромную разницу в возрасте. Ничего, придет время — и все переменится.

— Например, на то, что вы согласитесь пойти со мной в театр. Или хотя бы на то, что во время наших с вами прогулок вы позволите держать вас под руку.

Ольга Петровна остановилась и посмотрела на Игоря спокойно и печально.

— Я не понимаю, зачем вам это нужно. Ну объясните мне, Игорек, зачем вам нужно дарить мне цветы, провожать до дому и водить в театр. Неужели у вас нет более интересного занятия?

В точку попала. Нет у него более интересного занятия, чем делать свое Дело. Делать не торопясь, со вкусом, наслаждаясь каждой минутой, каждым шагом, каждым словом. Тщательно и заранее продумывая каждую деталь и постепенно воплощая замысел в жизнь. Но разве ей объяснишь!

— Нет на свете занятия более достойного и приятного, чем дарить цветы прекрасной и умной женщине, провожать ее и ходить с ней в театр.

— У вас действительно были прекрасные учителя, — усмехнулась Киселева. — И в какой театр вы собираетесь меня пригласить?

— В «Современник».

— На какой спектакль?

— На «Вишневый сад», разумеется.

— Почему?

— Потому что вы преподаете литературу, а «Вишневый сад» — это школьная программа, так что к пьесе у вас не будет претензий. Я бы не рискнул предложить вашему вниманию модерн или сюр.

— И все-таки, почему именно «Вишневый сад»? Ведь в московских театрах есть и другие спектакли по пьесам из школьной программы, «Чайка», например, или Островский в Малом театре.

Ни «Чайка», ни Островский его не устраивали, ему нужен был именно «Вишневый сад». Потому что все случилось на уроке, когда они писали сочинение по этой пьесе Чехова. Это было частью плана, одной из многочисленных его изюминок.

— Я люблю «Современник», Ольга Петровна, а в этом спектакле играют мои любимые актеры. Но если вы возражаете, я возьму билеты на Островского.

— Нет, Игорек, я не возражаю. Пожалуй, я пойду с вами в театр. Когда?

— Послезавтра. Вы сможете?

Он ждал ответа, затаив дыхание. Она согласилась пойти, но это только полдела. У Ольги Петровны есть дети и маленькая внучка, с которой ей регулярно приходится сидеть. Она сама ему об этом рассказывала. А вдруг именно послезавтра ей собираются подкинуть малышку, и ничего уже нельзя переиграть? Господи, она уже бабушка, как же он сможет... Нет, не надо думать об этом, Дело есть дело.

— Смогу, — ответила Ольга Петровна, чуть поколебавшись. — Дочь, правда, просила взять внучку на выходные, ведь послезавтра у нас пятница... Но ничего страшного, я заберу ее в субботу с утра.

Они дошли по Стромынке до поворота на Малую Остроумовскую улицу. Еще две минуты — и дом, в котором живет Ольга Петровна.

— Спасибо, Игорек, мне было приятно вас видеть.

Она протянула ему руку, и Игорь подумал, действительно ли ей было приятно, или это просто формула вежливого прощания. Он взял ее руку и поднес к губам. Это тоже было домашней заготовкой на сегодня. Рука у Ольги Петровны неухоженная, с коротко остриженными ногтями без лака, с суховатой и слегка шершавой кожей. И с намечающимися пигментными пятнышками. Да, старость не за горами.

— Я буду ждать в вас на крыльце перед входом в театр послезавтра, в половине седьмого. До встречи, Ольга Петровна.

Он подождал, как и диктуется правилами хорошего тона, пока она скроется в подъезде, и только после этого двинулся назад к метро. Ну конечно, так он и знал, какой-то козел намертво «запер» его машину, ни вперед, ни назад не выехать. Но Игорь не испытывал раздражения. Он делал Дело, а все остальное значения не имело. Можно пока прогуляться до парка, подышать воздухом, подумать, проанализировать события — весь разговор, каждое слово, каждый взгляд — и наметить план на пятницу. Продумать заранее, что и как говорить, как вести себя во время спектакля и после него, какие цветы купить, как одеться, чтобы произвести на учительницу нужное впечатление. И самое главное — какие жесты можно себе позволить уже послезавтра, а какие еще рано, есть опасность спугнуть. Можно ли накрыть ладонью ее руку в темноте зрительного зала? Или пока ограничиться только «случайным» прикосновением?

Игорь не любил импровизаций, он предпочитал загодя составлять план и строго и неуклонно ему следовать. Через полчаса он вернулся к машине и с удовлетворением отметил, что выезд свободен, а в голове у него сложилась четкая и понятная картина похода в театр.

Глава 4

НИКА

Это был во всех отношениях удачный день. Удача как таковая наметилась еще накануне вечером, когда Наталья Сергеевна сообщила, что весь следующий (то бишь сегодняшний) день намеревается провести дома, поскольку в работе ее наступил временный перерыв. Такие перерывы случались и раньше, ведь дизайнер-архитектор — творец свободной профессии, заказчик есть — работает, заказчика нет — сидит дома. Перерывы у Мадам бывали как короткими — два-три дня, так и подлиннее, например, однажды она просидела без заказов целых две недели, в течение которых я могла уходить днем куда угодно.

— Ника, завтра я буду дома, так что вы можете, если хотите, планировать собственные дела.

Нет, что ни говори, а Наталья хороший человек. Ни Гомер, ни Денис, ни Алена никогда не снисходили до того, чтобы по собственной инициативе отпустить меня. Ну, Великий Слепец — еще ладно, он, по-моему, за год так и не сообразил, что я существо одушевленное и могу иметь какие-то потребности. Денис, похоже, понимал, что я живая, но со свойственным молодым людям апломбом полагал, что женщина в тридцать семь лет (да-да, это в начале истории мне было тридцать шесть, а теперь уже, увы, на год больше) не живет, а доживает свою жизнь, доволакивает, с трудом шевеля ногами, свое бренное существование, посвящая всю себя беззаветному служению детям и внукам (если повезет) или чужим людям (если не повезет, как мне). Денис вообще редко сидел дома, у него, помимо учебы в институте, находилась масса преинтереснейших занятий, он рано уходил и поздно возвращался, а бывало, что и не возвращался вовсе, поскольку оставался ночевать у своей пассии. В те же редкие дни, когда он никуда не уходил с самого утра, он никогда не мог ответить со всей определенностью, сколько времени собирается пробыть дома. Он мог твердо пообещать мне два часа «отгула», но когда я возвращалась, то заставала в квартире только Николая Григорьевича в обществе немногочисленных животных и многочисленных растений. Оказывается, Денис вдруг вспомнил, что кому-то что-то пообещал или ему куда-то срочно нужно. (Помните у Жванецкого: «Мне в Париж по делу надо».) Или наоборот, парень явно собирался уходить, одевался, с кем-то созванивался, а спустя некоторое время я обнаруживала его лежащим на диване с пультом от телевизора в руках или сидящим за компьютером с неизменным Патриком на плече. Он, видите ли, передумал ехать туда, куда только что собирался. Но, может быть, опять вскоре надумает.

Алена же — это вообще особая статья. Она девушка целеустремленная и собранная, всегда точно знает, когда, куда и зачем пойдет, она все записывает в ежедневник и постоянно заглядывает в него, чтобы ничего не забыть и никуда не опоздать. Но! Она так и не простила мне измены Патрика. Алена убеждена, что самим фактом извлечения котенка с улицы и водворения его в Семье получила незыблемое и непреходящее право на его любовь и преданность. Патрик же этой точки зрения почему-то не разделял, в руки своей спасительнице не давался, а спать уходил ко мне. Из-за этого девочка безумно ревновала несчастного кота и, как я подозреваю, столь же безумно ненавидела меня. И потом, ей, ученице выпускного класса, очень нравилось чувствовать себя «новой русской, имеющей прислугу». Она, как и Денис, не давала мне возможности планировать выходы из дома, но в отличие от брата делала это умышленно, а не от безалаберности. Ее коронным номером было ожидание мифического телефонного звонка, после которого ей станет ясно, будет она уходить или нет. По-моему, ей доставляло удовольствие измываться надо мной. Ну да ладно, она еще маленькая и глупенькая, какой с нее спрос. Это когда тебе за пятьдесят, ты имеешь полное право считать прожитые годы той высотой, с которой лучше видно. А когда тебе семнадцать, ты не то что не на высоте, ты даже и не на равнине пока, так, в ямке сидишь, а из ямки обзор, как известно, весьма и весьма ограниченный, да и перспектива искажается, и все, кому за тридцать, кажутся тебе ветошью, доброго слова не стоящей, и прошлым веком.

В тот день удачи просто сыпались на меня как из рога изобилия. Мало того, что Мадам осталась дома, так еще и Денис, вопреки обыкновению, заявил прямо с утра, что в институт ему не надо и он будет в своей комнате готовиться к зачету. А чтобы голова лучше работала, он, пожалуй, выйдет на прогулку с Аргоном. Таким образом, имея возможность сходить в магазин днем и избавленная от утреннего «собакинга» (как я маленьким язычком называла выгул пса), я получила в подарок первую половину дня без суеты и спешки, без страха опоздать с чьим-нибудь завтраком и без беспрестанного поглядывания на часы.

В очередной раз мне повезло, когда я заканчивала выжимать сок для завтрака Мадам. На кухне возникла Кассандра собственной серо-голубой персоной и, сверкая апельсинового цвета глазами, вывела затейливую руладу, подразумевающую вполне конкретное содержание. Бросив соковыжималку, я кинулась в комнату Алены — и вовремя! Зловредный Патрик уже облюбовал брошенную на диване книжку и пристраивался к ней с самыми недвусмысленными намерениями. Меня прямо в жар бросило! Он ведь не трепать ее собрался и не грызть, а кое-что похуже... Книжку можно, в конце концов, выбросить, а вот что потом делать с диваном, воняющим кошачьей мочой? Схватив наглеца под брюшко, я выволокла его из Алениной комнаты и буквально швырнула в лоток. Однако лоток его совершенно не устроил, Патрик немедленно вылез из него и сел рядом в позе непонятого гения, глядя на меня в упор растопыренными изумрудно-зелеными глазами, словно говоря: «До чего ж ты, Кадырова, неумная. Неужели ты в самом деле решила, что я хочу в туалет по-маленькому и забыл, где лоток? Неужели ты так и не усвоила, кого я в этом доме люблю, а кого терпеть не могу? Можешь теперь делать со мной что захочешь, но я от своих принципов не отступлюсь».

— Ну и не отступайся, — буркнула я, возвращаясь на кухню и тихо радуясь про себя, что успела предотвратить катастрофу и неминуемый скандал по поводу испорченного дивана.

Все-таки, наверное, зря я ворчу на Каську, ябедничать — оно, само собой, нехорошо, но иногда бывает так кстати!

Всех покормив и убрав кухню, я отправилась за продуктами и массой прочих необходимых вещей, как-то: стиральные порошки, туалетная бумага, лекарства для пополнения домашней аптечки в целом и для Главного Объекта в частности: Старому Хозяину с завтрашнего дня нужно начинать очередной месячный курс кардикета-20, да и ампулы строфантина я вчера проверила — срок на исходе, пора покупать новые. Кроме того, заканчивался собачий корм, и нужно добраться до специализированного магазина и притащить еду для Аргона, а заодно уж и для Кассандры и Патрика. С собачьим кормом тоже тяжелый случай: покупать его нужно в «Пинчере» на Нижегородской, куда ни на каком муниципальном транспорте от нашего дома не доедешь. Но туда-то еще ладно, а вот обратно... Мадам настаивает, чтобы я покупала корм в пятнадцатикилограммовых упаковках, потому что так получается дешевле. Аргону, не страдающему отсутствием аппетита, этого количества хватает ровно на месяц. Есть упаковки и поменьше, по два, например, килограмма и, кажется, даже по пять, можно брать и вразвес, но выходит дороже, а в этом вопросе Наталья Сергеевна почему-то придерживается экономии. Хоть убейте меня, никак не могу понять, почему бы снабжение хвостатых членов Семьи питанием не взять на себя тому, кто ездит на машине. Машин у Сальниковых две, на одной ездит Гомер, на второй — Мадам. Никак до меня не доходит, почему тяжеленные мешки с кормом я должна таскать на собственном хребте. Разумеется, насчет хребта — это я для красного словца вставила, корм я вожу в сумке на колесиках, но все равно это далеко, тяжело и неудобно. Можно, конечно, поймать частника, но на такие траты хозяева «добро» не давали, а своих собственных денег мне, честно признаться, жалко, у меня их и без того немного. То есть много, конечно, но каждый потраченный рубль я отнимаю у своей будущей квартиры. Поэтому чищу зубы самой дешевой пастой, мою голову самым дешевым шампунем, от которого волосы торчат в разные стороны, как пакля, пользуюсь самым дешевым дезодорантом и ношу самые дешевые колготки. Хорошие духи, купленные еще во времена моей жизни с Олегом, давно закончились, только флакончик остался как напоминание о том, какой жизнью я жила раньше и какой живу теперь. Разница, надо вам заметить, огромная. Экономлю я жестко и даже жестоко, поэтому и мешки с собачьим кормом таскаю на себе.

Вернувшись из магазинных вояжей, я принялась за уборку. Чтобы дать вам некоторое представление о фронте работ, придется снова остановиться в изложении событий и сказать несколько слов о собственно квартире. Когда-то это была просторная четырехкомнатная квартира улучшенной планировки с двадцатиметровым холлом и двумя санузлами. Квартиру получила от государства Аделаида Тимофеевна, поскольку была, во-первых, академиком и ректором крупного технического вуза (что-то связанное с металлургией), а во-вторых, депутатом Верховного Совета СССР. Не надо думать, что все академики, ректоры и депутаты жили в таких квартирах и таких домах. Нет, далеко не все. Но Аделаида Тимофеевна Сальникова — да, жила. Кроме нее, в этом доме получили квартиры еще четыре семьи известных ученых, поскольку было соответствующее письмо из Академии наук в ЦК КПСС об улучшении жилищных условий для цвета советской науки и техники. Все же остальные, вселявшиеся в этот роскошный по тем временам дом, были людьми, непосредственно связанными с самим ЦК, Советом Министров и аппаратом Верховного Совета.

В период перестройки контингент жильцов изменился, квартиры приватизировались и продавались, переходили в дар и по наследству, и Сальниковы оказались одними из очень немногих оставшихся старожилов. В середине девяностых, когда Денис и Алена подросли настолько, что уже не могли жить в одной комнате, в квартире сделали ремонт и перепланировку, накроив из четырех больших комнат шесть, но поменьше. Одна комната так и осталась общей гостиной, во второй обитали Адочка и Николай Григорьевич, третья стала спальней Гомера и Мадам, в четвертой и пятой существовали автономно Денис и Алена, а в шестой, самой крохотулечной, Аделаида Тимофеевна устроила себе кабинет. Жаль, что я не застала ее, мне кажется, Адочка была личностью неординарной. Чего стоит только один компьютер на ее рабочем столе! Ведь она умерла в шестьдесят восемь лет, и это означает, что персональным компьютером она овладела лет в шестьдесят, если не позже. И не побоялась же!

Как рассказывал Старый Хозяин, в период подготовки к ремонту между Адочкой и Мадам шли бесконечные споры о судьбе кухни и холла. Мадам хотела расширить кухню, отняв у холла метров десять, а лучше — пятнадцать, и сделать из нее кухню-столовую, где можно принимать гостей. Адочка же была категорически против, потому что в холле традиционно находилось место для собаки (у Сальниковых и до Аргона были собаки, причем все до одной крупные), и это совершенно невозможно, чтобы человек, входя в квартиру, немедленно натыкался на собачью подстилку, а на пяти-семиметровом пятачке, назвать который холлом даже язык не поворачивается, именно это и будет происходить. Кроме того, Аделаида Тимофеевна совершенно не понимала, для чего нужна кухня-столовая. Кухня — это место, где готовят еду, не более того, и оно вовсе не должно быть просторным. В доремонтно-доперестроечные времена у Сальниковых было принято трапезничать в комнате, выполняющей функции одновременно гостиной и столовой. В ней происходило все, от приема гостей до скромного индивидуального чаепития. Адочка была категорической противницей кухонных посиделок, считала их неинтеллигентными и отдающими духом диссидентства. Правильно устроенная жизнь, по ее мнению, исключала прием пищи в пищеблоке, зато подразумевала обязательный круглый стол, за которым ежевечерне собирается вся семья, делится впечатлениями от прожитого дня и планами на будущее, а заодно получает руководящие указания и мудрые советы от патриархов (читай — от Николая Григорьевича) и народных избранников (имелась в виду сама госпожа Депутат).

Сказать, что Адочка и Мадам ссорились и скандалили из-за размеров холла и кухни, значило бы нагло соврать. С Адочкой никто не смел ссориться и скандалить. Со слов Главного Объекта мне стало понятно, что шли нудные, ежедневные, всем до смерти надоевшие переговоры за тем самым круглым столом. Адочка излагала свои аргументы, Наталья — свои, Гомер и Старый Хозяин молчали в тряпочку, детям слова вообще не давали за малолетством, но теперь Николай Григорьевич догадывается, что в тот момент на стороне жены стоял только он сам. Все остальные устали от диктата Аделаиды Тимофеевны и хотели покончить с ежевечерними круглостольными сборищами и жить по собственному графику. Но понял это он только тогда, когда через неделю после смерти Адочки круглый стол был потихоньку выдворен из квартиры и заменен новой мягкой мебелью, развалившись на которой так удобно смотреть телевизор и читать. Адочка никаких таких «развалов» не признавала, в гостиной при ее жизни были только стол, стулья и кресла. В тот день, когда исчез знаменитый круглый стол, Николай Григорьевич перестал выходить в гостиную. Он вдруг до боли ясно осознал, что дети и внуки избавляются от той жизни, которой он жил вместе с любимой Адочкой, что эта жизнь стоит им поперек горла, что они этой жизни больше не хотят. Они хотят жить по-своему, и Старый Хозяин принял решение им не мешать. Но видеть гостиную, в которой больше нет круглого стола, оказалось выше его сил.

А тогда все закончилось компромиссом. Адочка милостиво согласилась пожертвовать в пользу кухни кусочком холла, но не пятнадцатью метрами, как просила невестка, и даже не десятью, а всего лишь пятью.

И вот теперь мне нужно три раза в неделю

убирать эти сто пятьдесят метров площади с двумя санузлами, неисчислимым количеством углов и мебельных закоулков и собачье-кошачьей шерстью.

Очередная удача свалилась мне на голову как раз во время уборки. На минутку выключив пылесос, я решила заглянуть к Старому Хозяину в чисто профилактических целях, сегодня он не требовал особого надзора, давление и сердечные тоны с утра были вполне приличными. И опять успела вовремя! Как будто Провидение меня сподобило зайти в комнату Николая Григорьевича: Главный Объект стоял, опираясь руками на стол, губы и пальцы рук посинели, дышал он неглубоко и часто. Достаточно было оглянуться, чтобы понять, откуда взялся приступ сердечной недостаточности. Неугомонный чекист-полковник-в-отставке давно поговаривал о своем желании передвинуть шкаф, но поскольку одобрения, а стало быть, и помощи от родных не дождался, то решил сделать все сам.

— Николай Григорьевич, ну что же вы меня не позвали? — укоризненно приговаривала я, усаживая Старого Хозяина на диван и прилаживая кислородную подушку.

— Я звал, но вы не слышали, — отвечал он задыхаясь, слабым голосом.

Ну конечно, пылесос. Какой-то супер-пупер, пыль сосет отлично, кто бы спорил, но ревет при этом, как раненый медведь. Пушечного выстрела не услышишь, не то что тихий зов несчастного больного сердечника.

Еще одна удача: из трех кислородных подушек две были пустыми, но одна-то оставалась полной, я как раз сегодня собиралась после обеда сходить в аптеку заправить пустые подушки кислородом. Так что с приступом мы справились быстро, обошлись одной подушкой вместо обычных двух, и я успела порадоваться, что с утра пополнила свежими ампулами запас строфантина. Уложила непослушного старика в постель, вколола ему строфантин, потом панангин и велела лежать тихо, как мышка, в противном случае пожалуюсь Наталье Сергеевне. Это я так угрожала.

Только-только я снова включила пылесос, как нарисовался Денис.

— Ника, когда обед?

Вот черт, непривычно мне кормить его днем, я так увлеклась магазинами и уборкой, что катастрофически опаздывала с мясом для дневного кормления студента. Обеды для язвенника Николая Григорьевича и вечно худеющей Алены я приготовила еще утром, Наталья предупредила, что у нее сегодня «день здоровья» и она будет питаться исключительно фруктами, так что за нее можно было вообще не беспокоиться, Гомер обедает на работе. А про Дениса я забыла.

— Ты уже совсем голодный или еще терпишь? — с надеждой спросила я.

— Еще с полчасика могу потерпеть, но вообще-то организм уже требует горючки. Сделай мне свининки с жареной картошечкой, ладно?

Свининки. Во как. Да где ж ее взять, спрашивается? Я ее сегодня не покупала, взяла, как обычно, баранину для желудочно здоровых и парную телятину для диетиков. Сказал бы с утра, что будет днем хотеть свинину... Ну и что, бросать уборку и кидаться, ломая ноги, в магазин за мясом? Впрочем, бросать уборку все равно придется, обед-то для Дениса готовить нужно.

— А может, баранью котлету съешь? — предложила я.

— Баранью котлету? — Денис призадумался. — Можно. Только все равно с жареной картошечкой. И салат. И суп какой-нибудь.

Снова повезло. У Сальниковых хорошая бытовая техника, и на котлетный фарш у меня уходит минут десять, а суп я варила для Старого Хозяина, причем варила по-хитрому, так, чтобы язвенник мог его съесть без ущерба для здоровья, но чтобы после пятиминутной доводки он был вкусен и всем остальным. За год работы в Семье я много таких уловок освоила, не только с супами, но и с курицей, и с телятиной, и с овощами.

Короче говоря, со студенческим обедом тоже все обошлось. О приступе Главного Объекта я никому не говорила, чтобы не будоражить общественность, но, поскольку весь наличный запас кислорода оказался израсходованным, нужно было первым делом бежать в аптеку заправлять подушки. Когда в доме больной с таким букетом диагнозов, кислород должен быть обязательно, поскольку может потребоваться в любой момент. И только я собралась одеваться, как меня подловила Мадам.

— Ника, я пошла в парикмахерскую, мой мастер как раз сейчас свободен.

Ах ты господи, неужели удачи закончились? Жаль. С ними было так приятно.

— А вы куда-то собрались? — спохватилась Наталья, заметив, что я сменила спортивный костюм, в котором обычно работала дома, на брюки и джемпер.

— Я хотела сбегать в аптеку заправить подушки.

— Ничего, Денис дома. Я думаю, за полчаса ничего не случится.

Я бы тоже хотела так думать, но Николай Григорьевич мне уже выдал сегодня незапланированное антре.

— Наталья Сергеевна, вы уж попросите, пожалуйста, Дениса не отлучаться, пока я не вернусь.

— Он никуда не уйдет, — твердо пообещала Наталья.

И что-то в ее тоне мне не понравилось. Неужели в Семье происходит нечто, о чем я и не подозреваю? Странно. Я целыми днями дома, все члены Семьи у меня на виду, казалось бы, все должна замечать. Ан нет, что-то от меня укрылось.

Ну да ладно, коль мать уверена, что сын останется дома, так тому и быть. Я на всякий случай велела Денису заглянуть минут через пятнадцать к деду, подхватила три пустые подушки и вместе с Мадам вышла из дома. Разумеется, подвезти меня до аптеки она не догадалась, села в свою машину и улетела за красотой.

Заправка подушек — минутное дело, и стоит всего ничего, по 2 копейки за литр кислорода, по 80 копеек за подушку. Но вот тащить три полные подушки — удовольствие сомнительное. Нет, не тяжело, они совсем невесомые, но большие, из рук вываливаются. Две — нормально, взял по одной подушке под каждую руку и пошел. Но три — это перебор. В зубах, что ли, ее нести?

Но не кончились мои удачи, решили еще побаловать меня. На полпути из аптеки рядом притормозила машина.

— Вы домой? Садитесь, подвезу.

Я нагнулась, чтобы рассмотреть водителя, потому что голос не узнала. Это был сосед Виктор Валентинович, тот самый, который однажды привел сбежавшего Патрика и с которым мы делили общий тамбур и дверь. Я с облегчением сбросила подушки на заднее сиденье и плюхнулась впереди.

— Как Николай Григорьевич? — спросил сосед.

— Потихоньку. Вот подушки для него заправила.

— Я так и понял, — кивнул он. — А почему он не делает операцию?

— Боится, — вздохнула я. Этот вопрос я и сама задала в первый же день знакомства. — Все-таки возраст, и операция на открытом сердце. Дебейки и Акчурину он, может, и доверился бы, а кому-то другому — нет. Или, говорит, в Америке оперироваться, или так жить. А на операцию в Штатах денег нет, это все-таки очень дорого.

— Жаль, что нет Аделаиды Тимофеевны, она бы его уговорила. Жесткая была старуха, властная, с ней не поспоришь. Кстати, она со своими связями и своей пробивной силой его и к Акчурину устроила бы.

— Вы ее знали? — с интересом спросила я.

— Ну а как же, мои родители с Сальниковыми были дружны, все время в гости друг к другу ходили. Меня Адочка даже в институт в свое время устраивала. А вот наше поколение, я имею в виду себя, Пашу и Женьку, его брата, как-то не сошлись. Родители очень хотели, чтобы мы дружили, а мы, наверное, в знак протеста сторонились друг друга. Не хотели, чтобы нам указывали, с кем водиться. Юношеский максимализм! — Он весело рассмеялся. — Кстати, как вас зовут? Вы ведь давно у Сальниковых работаете, а я даже имени вашего не знаю.

— Вероника.

— А я — Виктор.

— Валентинович, — добавила я. — Я знаю, мне Наталья Сергеевна говорила еще тогда, когда вы Патрика привели. Я уже пять лет в Москве живу, а все не перестаю удивляться вашим столичным нравам.

— То есть? — Сосед чуть повернул голову в мою сторону, вероятно, чтобы обозначить недоумение.

— Я работаю у Сальниковых больше года, то есть больше года живу в доме, и не знаю никого из соседей, кроме вас, да и то только по имени. Никто друг к другу в гости не ходит, никто не здоровается. По-моему, жильцы дома даже в лицо друг друга не знают. Не понимаю, как так можно жить. У нас в Ташкенте все совсем по-другому.

— Это Москва, голубушка Вероника, здесь волчьи законы. Каждый за себя. Не буду вдаваться в тонкости социальной психологии, позволю себе обратить ваше внимание только на одно обстоятельство: территориальные размеры нашего мегаполиса и транспортные проблемы. Люди тратят столько времени и сил на дорогу, что на человеческое общение не остается ни того, ни другого. А зачем вам соседи? Вы хотите ходить к ним в гости? Или сидеть на лавочке у подъезда и языком чесать, разглядывая прохожих? Насколько я успел заметить, посидеть на лавочке у вас и без того есть с кем.

Он намекал на мои периодические выходы на защиту родных рубежей. Действительно, раза два или три Виктор Валентинович, возвращаясь поздно вечером домой, заставал меня сидящей перед подъездом в обнимку со спящим Гомером. Не останавливался, не кивал приветственно, просто проходил мимо, как будто и не видел нас. Уж не думает ли он, что это романтические свидания? Неприятно... Но, в конце концов, какая мне разница, что именно он думает? Кто он мне? Кум, сват, брат родной? Он к Сальниковым даже в гости не ходит. А если бы ходил? Забавно, выходит, Виктор Валентинович прав, соседи и не нужны вовсе, близкое знакомство с ними может принести только одни осложнения.

Поездка закончилась куда быстрее, чем мне хотелось бы. Мне казалось, что сосед мог бы много интересного порассказать о моих работодателях. Может, имей я побольше информации, я бы лучше их понимала...

Он помог мне вытащить подушки и две из них понес сам. Одновременно с нами у подъезда парковалась еще одна машина, мне незнакомая, во всяком случае, раньше я этот темно-зеленый «Мерседес» возле нашего дома не видела. Вышедший из машины мужчина показался мне... ну, не Прекрасным Принцем, конечно, но чем-то близким к мужчине моей мечты. Рост, телосложение, цвет волос и глаз, тип лица, прическа — все в нем мне нравилось. Он придержал дверь перед соседом и мной (вежливый!), вошел вместе с нами в лифт и не нажал молча нужную кнопку, как делают многие, а осведомился, на какой нам нужно этаж (еще раз вежливый!). К моему удивлению, вышел он вместе с нами, на нашем этаже. Надо же, оказывается, в одной из двух квартир на противоположной стороне площадки живут такие роскошные мужики, а я и не знаю об этом. Впрочем, я этого красавца ни разу не видела, да и Виктор Валентинович с ним не поздоровался, они явно незнакомы, так что, возможно, он и не живет здесь, а в гости зашел. Жаль, шансы на знакомство резко падают.

Все это я успела подумать в какую-то долю секунды, потому что потом было уже не до размышлений. Незнакомец подошел к нашей тамбурной двери и молча стоял рядом, пока я доставала ключи и открывала замок. Виктор кинул тревожный взгляд на меня, я — на него. Кто это такой? Сосед его не знает, я тоже, а он идет в одну из двух наших квартир.

— А вы, собственно, к кому? — осторожно спросил сосед.

— К Денису, — спокойно ответил красавец.

На лице Виктора проступило облегчение, а я снова принялась удивляться. Что общего может быть у легкомысленного студента Дениса с этим мужчиной, который ему по возрасту в отцы годится?

— А я вас знаю заочно, — неожиданно обратился ко мне незнакомец, — вы Ника. Денис мне о вас рассказывал.

Я уже запирала тамбурную дверь, сосед терпеливо ждал, пока я открою квартиру, чтобы сгрузить мои подушки.

— А вы кто? — спросила я на всякий случай.

— А я — Владимир Петрович, отец Дениса. Можно просто Володя.

Вот это да! Ну точно, он ему в отцы и годится. Так вот почему Наталья вдруг засобиралась в парикмахерскую! И вот почему она была уверена, что Денис никуда не уйдет. Она знала, что парень договорился с отцом, и не хотела встречаться с бывшим мужем.

Ну что ж, как говорится, больному легче, можно без опаски открывать дверь и входить в квартиру, это не вор и не налетчик.

В течение следующих десяти минут выяснилось, что Владимир Петрович принес сыну какую-то жутко дефицитную и навороченную компьютерную программу, которую сам же, как специалист, и установит. Вообще-то, сын с отцом встречается регулярно с самого детства, но, как правило, на стороне, не у отца дома, где находится его вторая жена и дети от нового брака, и не у Сальниковых. Бывают исключения вроде сегодняшнего, но крайне редко и только при крайней необходимости. Наталья этому никоим образом не препятствует, но общаться с бывшим мужем отказывается наотрез (и куда только девается ее так называемая европейскость?!), потому и ушла под благовидным предлогом.

— А вы совершенно не похожи на узбечку, — неожиданно заявил отец Дениса. — Вы блондинка, и лицо у вас славянское.

— Так я и не узбечка, я русская, — удивилась я.

Денис залился краской и сделал вид, что внимательно изучает пирожок с рисом, от которого он уже половину благополучно отъел. И чего там изучать, вот скажите мне? Ну все понятно, он рассказывал отцу о домработнице, при этом называл ее «нацменкой» или по фамилии, Кадыровой. Ах, паршивец!

— Но ведь у вас узбекская фамилия, — не унимался любознательный Владимир Петрович.

— Фамилия по отчиму, он меня удочерил. А по рождению я Мельникова. — Я вперила в Дениса невинный и одновременно нахальный взгляд, чтобы у него не оставалось опасных иллюзий насчет моей недогадливости. — Разве вам Денис не говорил? Странно. Он прекрасно это знает.

— Ладно, пап, пошли программу ставить, — заторопился юный националист.

— Успеем, я еще чай не допил, — спокойно ответил Владимир Петрович. — Ника, вы мне не нальете еще чашечку? У вас дивные пирожки, просто не могу остановиться, еще хочется.

— Спасибо, — я расцвела улыбкой. — Может, вы голодны? Могу предложить бараньи котлеты, суп, салат, рагу из телятины.

— Я бы с удовольствием пообедал, если вас не затруднит.

— Пап, ну ты что, жрать сюда пришел, что ли? — возмутился Денис. — Пошли делом займемся.

— Денис, не будь грубым. Я тебя люблю, ты мой сын, но ты не центр вселенной. Я поставлю тебе программу, но дай же мне пообщаться с привлекательной женщиной.

— У тебя жена есть, какие еще женщины?!

— Кроме жены, с которой я живу и ращу детей, есть огромное число людей, с которыми я общаюсь. И приятных среди них куда меньше, чем неприятных. Мне есть о чем поговорить с Никой, а если тебе скучно слушать наш разговор, ты можешь пойти к себе.

Ох, ничего себе папаша у нашего Дениса! Ну и характер. Интересно, что получилось бы, если бы ему пришлось жить вместе с Адочкой? Зато я теперь понимаю, почему Мадам от него ушла и предпочла куда менее красивого (хотя, безусловно, очень привлекательного) и менее яркого Гомера. Наталья с таким мужиком просто не правлялась. Ей с ним было плохо. А мне было бы, пожалуй, хорошо, я не стремлюсь к лидерству, зато ценю ум, характер и самобытность.

Недовольный Денис гордо покинул пищеблок, а я принялась изображать гостеприимную хозяйку. Эдакую маленькую хозяйку эдакого большого дома. Я порхала по просторной кухне, подавала, наливала, накладывала, улыбалась и щебетала. Владимир Петрович ел и нахваливал.

— Вам трудно здесь, Ника?

Я на мгновение задумалась. Трудно ли? Не знаю. Я не думаю об этом. Потому что, когда у меня есть цель, я не оцениваю процесс с точки зрения трудности, я оцениваю его только с точки зрения эффективности.

— Нормально, — коротко ответила я. — Это обычная хорошо оплачиваемая работа, с которой я справляюсь.

— Но ведь она вам не нравится?

— Нет, — честно ответила я. — Не нравится. Мне нравится лечить людей и спасать тех, кто нуждается в экстренной помощи. Это моя профессия, и это я умею делать.

— Наташа вас сильно достает?

В его словах было больше утверждения, чем вопроса.

— Нет, не сильно. Мы с ней нормально ладим. Чай или кофе?

— Кофе, если можно. А Денис? Он вас не обижает?

— Володя, меня трудно обидеть, я ведь не

165

барышня, я взрослая женщина, достаточно умная, чтобы не обижаться на детей. Я правильно догадалась, за глаза Денис называет меня нацменкой?

Он не ответил, из чего я сделала вывод, что догадалась правильно.

— Не беспокойтесь, в глаза он этого не говорит. Правда, частенько подшучивает надо мной, но беззлобно.

— Как именно? — встревоженно встрепенулся Владимир Петрович.

— Видите ли, я родилась и выросла в Ташкенте, я люблю пить чай из пиалы и с орехами, а арбуз ем ложкой и с белым хлебом. Ему это и многое другое кажется смешным, и он называет это восточными примочками. Это не обидно, честное слово.

— Я поговорю с ним.

— Не нужно, — испугалась я, — ни в коем случае, прошу вас, Володя. Не надо ничего говорить Денису. Я же сказала, мы с ним нормально ладим. Да мы, в сущности, почти и не общаемся, так только, на кухне, по поводу еды.

Неожиданно он взял меня за руку и погладил ладонь. Пальцы у него были теплыми и сильными, и у меня снова мелькнула мысль о том, что с таким мужчиной мне, наверное, было бы очень хорошо.

— Вы замечательная, Ника.

— Спасибо, — прошептала я.

Вообще-то, я собиралась сказать это нормальным голосом, но от волнения горло у меня перехватило и звуки из него вылетали какие-то невнятные и сипящие.

— Я хотел бы снова с вами увидеться. Это возможно?

«Да, да, да!!!» — кричала я маленьким язычком. Уже больше года я не улыбалась мужчине как именно мужчине, а не хозяину, продавцу или случайному прохожему. Уже больше года никто не брал меня за руку, не говорил, что я замечательная и не гладил мою ладонь. Уже больше года я не чувствовала себя женщиной. Но большим языком сказала совсем не то:

— Вряд ли. Я очень привязана к дому, не могу оставлять Николая Григорьевича одного. И потом, врать я не люблю, а если скажу правду, это может не понравиться Наталье Сергеевне, и она меня уволит. Мне нужна эта работа, я без нее пропаду. Мне жить негде.

— Уверяю вас, Наталье глубоко безразлично, с кем я встречаюсь, мы расстались восемнадцать лет назад.

— Володя, если бы ей было безразлично, она не уходила бы из дома и не избегала бы вас. Поверьте мне, я все-таки женщина. Я не могу так рисковать.

— А если бы не все эти обстоятельства, вы бы согласились?

— Да, — твердо ответила я.

— Но я могу вам хотя бы позвонить?

— Безусловно. Но желательно, чтобы Натальи Сергеевны и Дениса при этом не было дома.

Сердце у меня колотилось как безумное, я утратила навык флирта и сейчас с трудом его восстанавливала. И снова удача! Едва я отняла свою руку, как снова появился Денис.

— Я только что матери звонил, она через час будет дома, — хмуро и нервно заявил он. — Пошли уже, хватит общаться.

Не хотела бы я видеть его лицо, если бы он заметил, что его батюшка самым интимным образом держит за ручку их прислугу.

— Иди к себе, Денис, — холодно ответил Владимир Петрович, — я сейчас приду.

— Вы всегда так строги с ним? — спросила я, когда Денис вышел.

— Нет, но иногда приходится. Мне действительно пора, надо поставить программу и уйти, пока Наташа не вернулась. Не хочу ее нервировать своим присутствием. Так я позвоню вам?

— Буду рада, — коротко ответила я и стала убирать со стола.

Как только Владимир Петрович скрылся в комнате сына, я судорожно метнулась к зеркалу. И замерла перед ним, словно оглушенная ледяным душем. Целых полчаса я улыбалась, разговаривала, двигалась и даже думала, как та Ника, которая была ухоженной, хорошо одетой, сытой, благополучной и замужней. Как Ника, привыкшая к мысли о своей привлекательности и не удивляющаяся вниманию мужчин. Во что же я превратилась? Стильная стрижка стала невнятными лохмами, стыдливо забранными заколкой (жаль денег на парикмахерскую), лицо без привычного макияжа кажется блеклым и невыразительным, кожа, оставшаяся без ухода косметолога и без хороших кремов, масок и лосьонов, потеряла упругость и нежный цвет, которым я всегда так гордилась, в ушах нет изящных сережек, на руках, шершавых и покрасневших, нет колец и браслетов. И пахнет от меня кухней, уборкой и нищетой, а не дорогими духами. Куда меня занесло? Какой флирт? Кому я могу понравиться в таком виде? Ника-Женщина осталась в прошлом, а в настоящем есть только Ника-Домработница, упорно идущая к своей цели и экономящая на всем, на чем возможно, в том числе и на внешности. А Володя... Ну что ж, с каждым мужчиной это бывает, и нередко. Он начинает заигрывать с женщиной, которая ему совсем, ну просто совсем не нужна и даже не нравится ни капельки, просто настроение такое. Назло кому-то, а порой и самому себе. Или из дурацкого принципа: мол, ты считаешь ее ничтожеством, а я использую каждую возможность, чтобы показать тебе, что ты кругом не прав и вообще полный дурак, поэтому буду оказывать ей знаки внимания.

В общем, не позвонит тебе Владимир Петрович никогда, дорогая моя, не надейся и не жди, и к зеркалу не бегай, не прихорашивайся, и не строй глупых планов, и не питай напрасных иллюзий. И главное — помни, что тебе самой это не нужно. Никакой личной жизни, пока ты работаешь здесь, иначе потеряешь все — и работу, и зарплату, и крышу над головой. Хозяевам, надо думать, все равно, есть у тебя личная жизнь или нет, но им не все равно, если ты станешь отлучаться не по делу. И ни один нормальный мужик не потерпит, если ты начнешь говорить ему, что не знаешь, когда сможешь быть свободна и надолго ли. Через месяц ему это надоест, вы разругаетесь, и, кроме переживаний и оскорблений, суеты, торопливости и нервозности, ты ничего не получишь. Тебе оно надо? Правильно. Не надо.

Вот и не надо. Не надо трепетно реагировать на поглаживание ладони и теплые взгляды. Не надо искать скрытый смысл в недомолвках и невинных вопросах. Не надо видеть невысказанные обещания в обычных словах. Не надо ждать звонка.

И не надо забывать о своих прямых обязанностях. Ты уже почти сорок минут дома, а к Николаю Григорьевичу даже не заглянула, хотя у него сегодня был приступ. Забыла ты о Главном Объекте, душечка моя. До того тебе понравилось снова ощущать себя Женщиной, интересной, привлекательной, желанной, что у тебя все из головы вылетело. Это тебя только поманили туманным намеком на нечто. А представляешь, что будет, если начнется настоящий роман?

Я отползла от зеркала, как побитая собака. Зашла к Старому Хозяину — он спал. Лицо бледное, но не синюшное, дыхание ровное. Ну и слава богу. Скоро придет Алена, ее надо будет кормить, но у меня есть еще минут двадцать-тридцать на то, чтобы побыть одной. Я нырнула в свою каморку и поняла, что хочу плакать. Зачем отказывать себе в таких невинных желаниях?

Я и не отказала. Старалась реветь потише, но Аргон все равно услышал и тут же прибежал меня жалеть. В отличие от маленького Патрика Аргон сам умеет открывать дверь вовнутрь, он прекрасно понимает, что такое дверная ручка и для чего она предназначена. Солнышко мое, глупый мой, необученный, но такой добрый пес! Он облизывал мое лицо и тихонько поскуливал, и мне становилось легче. Я вдыхала теплый, чуть кисловатый собачий запах и думала о том, что как мне ни обидно, но сегодняшний день принес определенную пользу. Я опять стояла у развилки и принимала решение. Я его приняла. Никакой личной жизни, пока я не выполню все, что задумала. До тех пор, пока я работаю в Семье, о романтических отношениях нужно забыть.

Слезы закончились, как ни странно, довольно быстро. Вероятно, дало о себе знать принятое решение: самое главное — сохранить эту работу во что бы то ни стало, пусть через боль, через унижение, через рыдания в подушку, через отказ от собственных радостей, но сохранить. А коль так, то нужно не сопли разводить на киселе, а идти и делать дело. Вот-вот явится Алена, да и Мадам на подходе, и я должна встретить их в полной боевой готовности.

Нет, это мне только так показалось, что я быстро успокоилась. Оказывается, прошло довольно много времени, потому что в прихожей не оказалось ни ботинок, ни куртки Владимира Петровича. Да и одежды Дениса не было — видно, ушел вместе с отцом.

И вот тут случилось то, что случилось.

Зазвонил телефон.

— Это Алена? — спросил приятный мужской голос.

— Нет.

— Значит, это вы, госпожа шлюха, — удовлетворенно заключил голос, и я помертвела.

Голос изменился и не сулил ничего хорошего. Шлюхой меня назвать не смог бы даже самый отъявленный недоброжелатель, это не мой диагноз. Значит, кого он имеет в виду? Ясно кого.

Я от волнения не успела сообразить, как правильно себя повести, то ли оборвать негодяя и разъяснить ему его ошибку, то ли промолчать и позволить ему принимать меня за Наталью. А он тем временем продолжал:

— Сходи вниз, посмотри в почтовый ящик, а я тебе перезвоню минут через десять.

И бросил трубку.

Я заметалась по кухне, плохо понимая, что происходит и что мне делать. Потом схватила ключи и помчалась на первый этаж к почтовым ящикам. В ящике лежал конверт, запечатанный и неподписанный. Довольно плотный. Дрожащими руками я разорвала его...

Господи, какая дура, ну какая же ты дура, Наталья! Зачем ты это делаешь, зачем тебе это нужно? А если уж делаешь, то почему так неосторожно, почему позволяешь себя фотографировать, почему ведешь себя так недвусмысленно-интимно в общественных местах? Убила бы я тебя, честное слово! Конечно, мужчина, с которым ты целуешься в ресторане, очень даже ничего, за вкус могу тебя похвалить. Но только за вкус, а не за мозги. А в парке зачем обниматься, да еще так неприлично, держа руку в районе его гульфика? А в Шереметьево зачем ты ездила? Провожала его? Встречала? Или улетала куда-то вместе с ним?

Но повезло, сказочно повезло, что тебя, моя дорогая Мадам, нет сейчас дома. Ты не работала на «Скорой», ты не умеешь сохранять хладнокровие в сложных ситуациях, ты не умеешь не впадать в панику, ты не умеешь собирать мозги в кучку и мобилизовывать их, вместо этого ты теряешься и начинаешь делать глупости.

Я приму удар на себя и посмотрю, что можно сделать.

Надо скорей возвращаться в квартиру, ведь этот тип с приятным голосом сейчас снова позвонит.

Он таки не заставил себя ждать. Позвонил ровно через десять минут, как и обещал. Значит, не юнец.

— Ну что, посмотрели? — Он снова перешел на «вы».

— Посмотрела.

— Что скажете?

— Плохо. Что еще я могу сказать? Все это очень плохо.

— Значит, понимаете, что вы попали глухо и накрепко?

— Ну еще бы. У вас есть предложения?

— Десять.

— Что — десять?

— Ну, вы дурочку-то из себя не стройте, госпожа шлюха. Десять тысяч рублей цвета плесени. Можно в цветных европейских фантиках. Значит, так. Не надо мне рассказывать, что таких денег у вас нет, вы как раз столько получили за два последних заказа.

— Но мне нужно время, чтобы придумать, как скрыть это от мужа. Он ведь сразу заметит, что из дома исчезла такая большая сумма.

— Три дня. Так и быть. Сегодня понедельник, я даю вам три полных дня на решение вопроса. Но если через три дня, в пятницу, денег не будет, конверт получит уже ваш муж, и без всякого предупреждения. Или ваши дети. Вы меня поняли?

— Поняла. Через три дня вы мне позвоните. Только нужно сделать так, чтобы дома в это время никого не было, иначе я не смогу с вами разговаривать.

— Идет. В котором часу?

Я стала быстро вспоминать. Что у нас через три дня? Пятница. По пятницам у Алены занятия ирландским степом, она приходит из школы, переодевается и уходит танцевать, Денис непредсказуем, но будем исходить из того, что его, как обычно, не будет дома. Гомер на работе. Николай Григорьевич не в счет, поскольку он в основном проводит время в своей комнате и телефонную трубку сам не берет. Мадам? С ней пока непонятно, работы у нее сейчас нет, но, может быть, к пятнице она появится. А если не появится и Наталья просидит весь день дома? Нельзя пускать дело на самотек, надо срочно что-то придумать. Куда бы ее отправить?

— Чего вы замолчали-то? Какие-нибудь ужимки и прыжки придумываете? Не советую.

— Да нет, я просто пытаюсь сообразить, когда у меня в пятницу никого дома не будет. Давайте в двенадцать.

— Ночи, что ли? — ухмыльнулся голос, который, несмотря на всю мерзопакостность ситуации, все-таки продолжал оставаться приятным.

— Дня. В двенадцать дня. Тогда и договоримся обо всем. Но вы, в свою очередь, тоже подумайте.

— А мне-то о чем думать?

— О гарантиях. Негативы вы мне отдадите, это само собой. Но как я могу быть уверена, что вы с них по сто снимков не напечатали?

— Придется поверить.

— Еще чего! — фыркнула я. — С доверчивыми знаете что бывает?

Я не успела развить свою мысль, потому что услышала, как кто-то открывает тамбурную дверь. Уж не Наталья ли? Надо сворачиваться, заканчивать разговор.

— Я не могу больше разговаривать, — торопливо проговорила я, понизив голос, — муж идет. В пятницу в двенадцать.

И быстренько положила трубку. Вовремя, потому что это действительно была Мадам, строгая, напряженная (а вдруг бывший муж все еще здесь?), но в новой стрижке.

— Кто у нас дома? — спросила она таким безразличным тоном, что я чуть не рассмеялась. Красивая она баба, но актриса — никакая.

— Только мы с Николаем Григорьевичем.

— А Денис?

— Ушел куда-то. Алена еще не приходила.

— Хорошо. Ника, сделайте мне кофейку.

Про бывшего мужа ни слова. Ах, до чего ж мы нежные... Ну и я лезть с разговорами не буду, мое дело телячье, спросили — ответила, не спросили — промолчала.

Мадам отправилась к себе переодеваться в один из своих упоительных пеньюаров, а я пошла заправлять кофеварку.

Итак, у меня есть три дня на то, чтобы придумать, как вывернуться. Какие есть варианты? Всего три.

Первый: рассказать обо всем Наталье, и пусть она сама выкручивается. В конце концов, это же ее проблема, а не моя, это она, а не я, изменяет мужу, да еще так неловко. Что из этого может выйти? Наталья запаникует, разнервничается и... Что «и»? Расскажет мужу? Будет скандал. Не расскажет, но деньги заплатит? Тоже будет скандал. Гомер хоть и Великий Слепец, но деньги считает очень хорошо, он всегда точно знает, сколько лежит в их домашнем сейфе, и крайне не любит, когда его содержимое уменьшается. Скуповат он у нас, что есть, то есть. Мужу не расскажет, а обратится в милицию? Тогда муж наверняка узнает, и все равно скандал. Ничего не расскажет, но и денег не заплатит? Тогда Гомер получит фотографии, и все равно получается скандал. Как ни крути, результат выходит один и тот же. А скандала допустить нельзя, потому что на мне Главный Объект, который отнюдь не Великий Слепец и который все видит, все слышит и все понимает. Глупо надеяться, что от полковника КГБ—ФСБ (пусть и в отставке) можно хоть что-то скрыть. Полный наив!

Второй вариант: ничего Наталье не говорить, но и самой ничего не предпринимать. Результаты такого решения описаны выше. Ничего хорошего.

И, наконец, вариант третий: попытаться разрулить ситуацию собственными силами. Ни Наталья, ни Гомер, ни, что самое главное, Старый Хозяин ничего не узнают, и не будет никаких скандалов, и в доме будет мир, тишина и покой. Что и требовалось доказать.

Вот какая развилка возникла передо мной, уже вторая за сегодняшний день. Не многовато ли на одну меня? Ладно, справимся, и не таких больных вытаскивали.

В ДОМЕ НАПРОТИВ

— Тебе совершенно безразлична трагедия твоего брата! Как ты можешь так себя вести?

Отец в гневе, и Костя понимает почему. Он, Костя, за Вадьку глотку кому угодно перегрызет, жизнь отдаст, но... Но Мила так ему нравится, он все время думает о ней, она ему снится. И ему так хочется проводить с ней пусть не все время, но хотя бы чуточку больше, чем дозволяется строгим расписанием, составленным отцом. Хотя бы два дополнительных часа.

Но когда он заикнулся дома о том, что после визита в больницу хочет погулять с девушкой, отец устроил ему выволочку.

— Мы здесь делом занимаемся, а не ради удовольствия время проводим! — дрожащим от ярости голосом выговаривал он Косте. — Мы сидим в этой дыре и дышим этой пьяной вонью, потому что у нас есть цель! Мама разрывается между работой и учениками, чтобы заработать побольше, чтобы нам всем было на что жить, потому что я сейчас работать не могу, я должен целыми днями караулить этого подонка. От тебя требуется только одно: ежедневно навещать Вадика, потому что ни мама, ни я этого делать не можем, и помогать мне по вечерам. Это такая малость по сравнению с теми жертвами, которые приносим мы с мамой! А ты даже такие скромные и необременительные обязанности стремишься сократить, стремишься уйти от них. Неужели тебе не стыдно?

Костя и сам удивлялся, почему ему совсем не стыдно. Нет, немножко все-таки стыдно. Но он влюблен, влюблен по уши, и то, что еще совсем недавно казалось ему справедливым и правильным, теперь кажется нелепым и непонятным. Почему, ну почему он не может проводить время с девушкой, без которой ему дышать трудно? При чем тут Вадька? Неужели братишке станет легче, неужели депрессия пройдет быстрее, а изрезанные руки заживут сами собой, если Костя не будет встречаться с Милой?

Лукавит отец, передергивает карты. Он не работает вовсе не потому, что нужно сделать то, что они задумали. Он — безработный. Он не работает уже давно, дворником — не хочет, а того, что он хочет, ему никто не предлагает. Амбиций у отца навалом, ему кажется, что он достоин высокооплачиваемой престижной работы, руководящей, с зарплатой не меньше двух-трех тысяч долларов, только отчего-то не нашелся пока работодатель, который бы эту точку зрения разделял. Отец гордо сидит дома уже полтора года, периодически заставляя сыновей рассылать по Интернету свое резюме, и ждет предложений. Вот мать и вкалывает, как ломовая лошадь. Неработающий и не приносящий в дом денег муж не может ни при каких условиях оставаться главой семьи даже номинально, и отец болезненно переживал утрату не только профессионального, но и внутрисемейного статуса.

А тут эта история с Вадиком... И отец вбил себе в голову, что должен найти виновника и отомстить ему. Он должен повести себя как мужчина, настоящий мужчина, глава семьи, не дающий в обиду своих близких и отрывающий головы всем, кто осмелится поднять руку на сыновей или жену. Отец заразил своей идеей и маму, и самого Костю, они все с энтузиазмом взялись за воплощение в жизнь задуманного, нашли и сняли эту жуткую конуру, из окон которой виден подъезд дома напротив, где живет Враг. Но этот Враг — не главный, есть еще кто-то, а может, и целая группа людей, которые обманули доверчивого Вадика. Вадик видел одного из них, но по тому адресу, где он с ним встречался, Костя с отцом никого не обнаружили. Понятное дело, они сменили точку. Вадик описал внешность того человека, и теперь, следя за каждым шагом Врага из дома напротив, Костя с отцом надеются выйти на его след. До сих пор им это не удалось...

Но отец буквально распрямился, словно новой силой налился, почувствовал себя главным. Он отдавал распоряжения, он командовал, он строил планы и вырабатывал тактику. Полководец. Генералиссимус.

Безработный, амбициозный, никому, кроме своих близких, не нужный бывший главный инженер пришедшей в полный упадок трикотажной фабрики, проданной за бесценок российско-канадской фирме. Теперь на этой фабрике шьют красивые шмотки по канадским лекалам, и персонал полностью обновили, весь управленческий аппарат уволили. И отца — одним из первых.

Отец просто самоутверждается, думал Костя с неожиданной злостью. Он придумал себе сценарий, в котором играет главную роль, и никому не позволяет от этого сценария отступать. Ладно, пусть самоутверждается, пусть тешит свое самолюбие, но почему за счет Кости? Почему сын должен жертвовать личной жизнью, чтобы отцу было хорошо? А может быть, это и правильно, ведь родители всегда жертвуют чем-то, чтобы было хорошо их детям, так почему дети должны вести себя по-другому по отношению к родителям? Наверное, потому, что у детей рано или поздно появятся собственные дети и придется приносить жертвы ради них. Свой долг родителям мы выплачиваем нашим детям.

Мысль эта не давала Косте покоя, он любил брата, любил папу с мамой, и ему никак не удавалось найти гармоничный баланс между этой любовью и стремлением к собственному, личному счастью.

Но сегодня на свидание с Милой отец его не отпустил. Значит, сейчас придется помыть посуду, оставшуюся после обеда, и ехать в больницу к Вадику, а потом сразу возвращаться домой. Машину Милы уже починили, и теперь девушка исправно возила Костю в больницу и обратно. Из-за бесконечных пробок обратный путь, приходящийся как раз на часы пик, занимал куда больше времени, чем на метро, но отец, к счастью, пока этого не заметил, списывал более позднее возвращение сына на более длительное сидение в больнице у брата. А Костя радовался, что может побыть в обществе девушки лишние тридцать-сорок минут. Сидя в пахнущем чем-то лимонным салоне, они целовались на каждом светофоре и безропотно стояли в каждой пробке, не замечая течения времени.

Долгое время Костя Фадеев был свято уверен в правоте и отца, и того дела, которое они задумали. Но отказ отца отпустить его на свидание с Милой был не первой трещинкой в кирпичной стене Костиной уверенности. Не первой, а второй. Потому что первой были слова, сказанные примерно месяц назад Вадиком. Он тогда спросил Костю:

— Неужели папа совсем не скучает по мне? Мама хотя бы по выходным приезжает, а отца я уже сколько времени не видел... Он, наверное, презирает меня за слабость, за то, что я сделал, поэтому и не приходит. Он не хочет меня видеть, да?

— Ну что ты, Вадь, что ты говоришь? — возмутился тогда Костя. — Отец только о тебе и говорит, только о тебе и думает. Он тебя страшно любит, больше даже, чем меня.

Это было неправдой, отец любил своих близнецов совершенно одинаково, но нужно было как-то утешить Вадика.

— Тогда почему он не приходит? — настойчиво спрашивал Вадик.

Этот вопрос он задавал далеко не впервые, и каждый раз Костя находил какие-то уклончивые объяснения, не имеющие ничего общего с действительностью, потому что отец велел ни во что Вадима не посвящать. Но в тот раз Косте надоело выкручиваться, и он сказал брату все как есть. Дескать, они всей семьей решили найти того гада, который обманул Вадьку, и примерно наказать его. Никакой милиции — от нее все равно толку как от козла молока. Только сами. Им удалось найти посредника, который втянул Вадика в эту аферу, того мужика из института, куда Вадим сдавал вступительные экзамены, и отец целыми днями караулит его и ездит за ним по пятам, чтобы выследить главного фигуранта.

— Значит, у нас теперь другой телефон не потому, что нам сменили номер, а потому, что вы переехали? — задумчиво спросил Вадик.

— Ну да, — подтвердил Костя.

— Значит, вы меня обманули?

— Вадь, мы не обманули, мы просто не сказали тебе всей правды, чтобы ты не нервничал. Тебе нельзя нервничать.

— Значит, отец не приходит ко мне, потому что целыми днями занят этим мужиком из института?

— Ну, — снова подтвердил Костя.

— Значит, этот мужик для него важнее, чем я?

— Ну, Вадь, ну ты чего несешь-то? — Костя расстроился оттого, что брат сделал из его рассказа такой дурацкий и совершенно неправильный вывод. — Для отца никого важнее тебя нет, потому он и колотится, чтобы все это дело размотать. Он отомстить хочет. За тебя отомстить, пойми ты это.

Вадик, худенький, невысокий, грустно посмотрел на брата через сломанные и кое-как заклеенные очки.

— От того, что он кого-то найдет и кому-то отомстит, в моей жизни ничего уже не изменится. Что случилось, то случилось, и история назад не ходит. Лучше бы он просто любил меня и приходил хотя бы раз в неделю. Я так по нему скучаю. Для меня так важно, чтобы он не думал обо мне плохо... А он не приходит, и я все время думаю о том, что он меня презирает и отказался от меня.

Костя потом много раз возвращался мысленно к этому разговору. А такое ли уж правильное дело они затеяли по инициативе отца? Нужна ли вся эта морока и вся эта месть, если Вадька страдает?

Трещинка появилась, а история с Милой сделала ее шире. И Костя решил поговорить с матерью. Нет, не пожаловаться на отца и не попросить ее выступить в защиту сына и выторговать у непреклонного военачальника разрешение на увольнительные. Он хотел поговорить с мамой об этой трещинке. Конечно, лучше было бы поговорить с близким другом, но нельзя. Их общее дело — это их общая тайна, и обсуждать детали можно только в узком кругу, с отцом и с мамой. Так что выбор у Кости крайне ограниченный.

Сегодня Садовое кольцо в час пик стояло намертво, и по дороге из больницы Костя успел не только вдоволь наговориться с Милой, но и нацеловаться с ней до ломоты в губах. Домой он вернулся почти в девять вечера, квартира прямо от входа дохнула на него унылой пустотой. Но ничего удивительного, Костя был к этому готов, ведь машины отца у подъезда нет, значит, уехал «встречать» Врага с работы. Хорошо бы он вернулся попозже, а мама, наоборот, пришла бы поскорее, тогда у Кости есть шанс спокойно поговорить с матерью наедине. Когда отец дома, об этом и мечтать нечего.

Он уселся в своей комнате, раскрыл задачник и начал готовиться к завтрашнему семинару. Учеба давалась ему легко, ведь институт он выбрал не только по способностям, но и по склонностям, по душе. Он учился там, где хотел, и изучал то, что ему было по-настоящему интересно. Задачки по математике он щелкал как орехи, одновременно думая о предстоящем разговоре с мамой. А может, не стоит его затевать? Мать расстроится, ведь Костя видел, как она радовалась, когда отец встрепенулся, ожил, стал похож на себя прежнего, деятельного, активного. Но Костя не сможет жить спокойно, не расставив все точки над «i». Он должен понять, имеет ли он право негодовать на отца, запрещающего ему отлучаться по вечерам из дома, или такого права у него нет. Ладно, пусть отец не пускает его на свидания, это уже вопрос самого Кости — слушаться или нет. Скорее всего, он послушается и запрет не нарушит. Но он должен понимать, справедливы ли его мысли и чувства и есть ли у него в семье единомышленник.

Мать вернулась, как обычно, уставшей настолько, что не могла говорить. Изматывающие пятичасовые переговоры, которые она должна была переводить синхронно, потом частный ученик, потом двухчасовые занятия на курсах немецкого, где она вела «продвинутую» группу бизнесменов, совершенствующих знание языка и разговорную практику перед отъездом в немецкоговорящую страну. Понятно, что язык у нее не ворочается. А тут еще Костя со своими проблемами...

— Мам, тебе суп греть? — крикнул Костя из кухни, пока Анна Михайловна переодевалась.

— Греть, — коротко и негромко ответила она.

— А макароны?

— Нет.

Пока мать молча ела суп, Костя сидел за столом напротив нее и собирался с духом. Бедная мама, у нее даже не хватает сил спросить, как дела, есть ли новости. А может... Может, ей все равно? Может, ей тоже не нужна эта канитель со слежкой и последующей местью Главному Гаду, может, для нее важно только одно: чтобы отец снова почувствовал себя главой семьи, мужчиной? Чтобы не превратился окончательно в труху их брак, ставший похожим на холодную войну с тех самых пор, когда отец остался без работы и все материальное обеспечение семьи из четырех человек обрушилось на мамины плечи? Попробуй-ка прокорми, кроме себя, еще троих мужиков!

— Мам, вам с отцом, наверное, было бы легче, если бы мы с Вадькой ушли в армию, — Костя не уследил за собой и произнес вслух мысль, неожиданно пришедшую ему в голову.

Анна Михайловна положила ложку и строго взглянула на сына.

— Ты вообще соображаешь, что говоришь?

— Соображаю, — уверенно ответил Костя, хотя вовсе не был уверен в этом, просто брякнул первое пришедшее в голову. — Мы с Вадькой — взрослые мужики, едим в три глотки, нас одевать нужно. А так мы бы два года были на государственном обеспечении. И тебе не пришлось бы так много работать. На тебя же смотреть невозможно без слез — такая ты приходишь каждый день с работы. У отца амбиции крупного руководителя, он себе работу найти из-за этого не может, сидит на твоей шее, но его одного ты бы как-нибудь вытянула, а тут еще мы с Вадькой. У меня стипендия грошовая, а у него так и вовсе никакой. Что, я не прав?

— Ты безусловно не прав, Костик, — мягко произнесла мать. — Ты прекрасно знаешь, что делается в нашей армии, какая там дедовщина, как измываются над солдатами и деды, и, самое ужасное, командиры. Ты знаешь, какой уровень самоубийств среди солдат? А сколько побегов? Ты думаешь, эти несчастные мальчики от сладкой жизни бегут? Ничего подобного, они от кошмаров бегут, от побоев, истязаний и вымогательства. Я недавно синхронила встречу представителей Комитета солдатских матерей с австрийцами и швейцарцами, так такого там понаслушалась — не приведи господь! А наши еще документы принесли, статистику, аналитические обзоры, я их потом три дня переводила для передачи в какой-то швейцарский фонд. Ужас! Но мы с отцом все это знали и раньше, поэтому и настраивали вас с Вадиком на обязательное поступление в институт с военной кафедрой. А если вас бы в Чечню послали? Два года неизвестности, два года постоянных мыслей о том, как вы там, не бьют ли вас, не унижают ли, не голодные ли вы, не убили ли вас... Нет, мы с папой этого не пережили бы. Да и вам было бы тяжко. Ты-то ладно, ты сильный и жесткий, тебя кто обидит — дня не проживет. А Вадечка? Ты представляешь, что бы с ним там было? Он такой хрупкий, такой тонкий, такой слабенький... Ты всю жизнь был рядом с ним и его защищал, а в армии его никто не защитил бы. Если бы у нас были деньги, мы бы дали за вас взятку и купили бы вам белые билеты. Но таких денег у нас нет, поэтому ваше и наше с папой единственное спасение — институт. А то, что мне приходится много работать, — это ерунда, выбрось из головы, у меня здоровье лошадиное, меня еще надолго хватит.

Но Костя видел, что это на самом деле не так. Никакое у мамы не лошадиное здоровье, она тайком от отца и сыновей пьет какие-то лекарства, да и выглядит совсем не так, как всего два года назад. За эти два года она постарела лет на десять, вон сколько морщин появилось, как будто ей не сорок три, а все пятьдесят пять.

— Вот вы с отцом и запугали Вадьку до такой степени, что он сухожилия себе порезал, только чтобы в армию не идти, — с непонятно откуда взявшейся злостью выпалил он. — И лежит теперь в больнице. От заражения крови чуть не умер. С депрессией справиться не может. По-твоему, это лучше, да?

Глаза Анны Михайловны налились слезами, но голос ее был по-прежнему ровным и четким. Она была высокопрофессиональным переводчиком-синхронистом, и это означало, что, какие бы чувства она ни испытывала, что бы у нее ни болело и как бы плохо ей ни было, голосом она будет владеть на все сто процентов.

— Это бессмысленно обсуждать, сынок. Что случилось, то случилось. История не знает сослагательного наклонения, это старая, всем известная истина. И если мы с папой будем чувствовать себя виноватыми в этом, Вадику легче не станет.

Да, подумал Костя, чудны дела твои, генетика! Мать только что слово в слово повторила то, что месяц назад говорил сам Вадька. Надо же, до чего интересно воплотились родители в своих сыновьях! От матери Косте достались решительность, сила и здоровье, от отца — внешность, широкие плечи, сильные руки и ноги. Вадик же взял от мамы хрупкость и субтильность фигуры и ее спокойную мудрость, а от отца — обидчивость, ранимость и пассивность. Вот и получились два брата такими непохожими друг на друга.

Но разговор, такой, какой нужен был Косте, не получился. Он с самого начала пошел не в ту сторону, а все из-за неосторожно произнесенной вслух фразы об армии. Дурак! Сам виноват. Мама смертельно устала, и, если сейчас Костя начнет заводить шарманку про свои права на личную жизнь, это будет уж вовсе бессовестным. Как там у Достоевского? «Ну это уж подло!» Вот именно. Он и без того заставил ее столько говорить, хотя ей больше всего на свете хотелось бы сейчас помолчать. Ладно, перенесем на следующий раз, тем более к следующему разу в голове у Кости, наверное, будет больше ясности, появятся какие-то четкие аргументы, которые можно будет обсудить с матерью.

И хорошо, что он не завелся с разговором: явился отец. Взбудораженный, с горящими глазами.

— Кажется, есть! — воскликнул он прямо с порога.

Костя мгновенно забыл о своих обидах и правозащитных настроениях и кинулся к нему:

— Ну да?! Рассказывай.

Анна Михайловна тоже вышла, но ничего не говорила, просто стояла молча, прислонившись к дверному косяку, и смотрела на мужа.

— Он сегодня встречался с мужиком, с которым за все эти месяцы ни разу не контактировал и который по описанию похож на того, о ком рассказывал Вадик. Мне пока не удалось ничего о нем узнать, но я поехал за ним, и теперь у меня есть адрес, где его можно отловить. Так что дело сдвинулось с мертвой точки! Аннушка, доставай шампанское, это надо отметить!

Мать улыбнулась и, не говоря ни слова, пошла за шампанским.

— Костя, ты чего стоишь как неродной? — продолжал бушевать отец. — Иди помоги матери, накрой на стол, доставай конфеты, колбаску хорошую, у нас сегодня праздник!

Костя невольно поддался настроению отца, радостно кинулся на кухню, принялся рыться в холодильнике в поисках чего-нибудь празднично-вкусного. Сердитые мысли уступили место охотничьему азарту, азарту воина-разведчика, вышедшего на след вражеского шпиона. В эту минуту он забыл о Миле и превратился в молодого мужчину, играющего в войну.

НИКА

— Ника, Павел Николаевич задерживается, у него деловая встреча, он будет ужинать в ресторане, так что вы его не ждите, — сообщила мне Мадам, положив телефонную трубку.

Ну что ж, один едок с воза — кухарке легче, все остальные уже отужинали, и остается мне только Старый Хозяин со своим вечерним творожно-кефирным выступлением. Впрочем, кажется, я рано обрадовалась, Гомер собирается ужинать в ресторане... Это может плохо кончиться. Интересно, что по этому поводу думает его супруга? Надо мне идти защищать границу или обойдется?

Честно говоря, я с большим удовольствием взяла бы Аргона и ушла часа на два на улицу. Погуляла бы, сделала бы разминку на спортплощадке, подумала. А подумать мне есть над чем. У меня всего три дня до пятницы, и надо решить две проблемы одновременно: что делать с шантажистом и как обеспечить гарантированное отсутствие Натальи в пятничный полдень, когда эта гнида будет мне звонить. Вот смотрю я на Мадам — такую красивую, элегантную, довольную собой и всей своей жизнью, с новой стрижкой и изумительным цветом лица — результатом правильного питания и регулярного посещения косметолога — и думаю о том, какая угроза нависла над ней и ее благополучным существованием. А она даже не подозревает об этом. Так все-таки куда бы ее сплавить в первой половине дня в пятницу? Хорошо бы, заказчик подвернулся, но на самотек дело пускать нельзя, очень уж оно взрывоопасное.

— Если вы не возражаете, Наталья Сергеевна, я бы вышла с Аргоном. Хочу погулять подольше, очень голова болит.

Она испуганно посмотрела на меня. Голова болит, вы только подумайте! За весь год я ни разу не пожаловалась на недомогание, и тут вдруг — на тебе! Игрушка сломалась. Точнее, не игрушка, а бытовой прибор. Видно, ей как-то в голову не приходило, что я могу заболеть, и она совершенно не представляла, что в таком случае со мной делать. Не ухаживать же за мной, в самом-то деле. И требовать выполнения обязанностей как-то неловко... Бедная, мне бы ее заботы.

— Вы заболели, Ника? — с тревогой спросила Мадам. — Выпейте лекарство какое-нибудь, от давления или от мигрени.

— Да вы не волнуйтесь, я не заболела, — успокоила я ее, — это от духоты, слишком долго рядом с духовкой возилась, пока пироги делала, пока баранью ногу запекала, а в кухне жарко. Ничего страшного, мне просто надо погулять подольше, подышать, и все пройдет.

В глазах ее было такое облегчение, что я могла бы сейчас попросить у нее что угодно — Мадам согласилась бы на все, только бы я не заболела по-настоящему.

— Конечно, Ника, идите погуляйте сколько нужно. О Николае Григорьевиче не беспокойтесь, я ему в десять часов сама все подам, а вы гуляйте спокойно.

Благородно. Нет, что ни говори, а Наталья хорошая баба. После Старого Хозяина лучше всех в этой семье. Ну а что мозгов маловато — так не ее вина, и то, что даже имеющимся количеством она не умеет правильно распорядиться, — тоже не она виновата. Была бы она поумнее и похладнокровнее, я бы с легким сердцем предоставила ей самой разбираться с шантажистом. Но ведь не справится, не справится... Доведет дело до греха, до огласки, и Николай Григорьевич не переживет.

Ой, Кадырова, не умрешь ты от скромности! Наталья не справится, а ты? У тебя-то откуда уверенность, что ты справишься? Ты что, сто пятьдесят раз имела дело с шантажистами и у тебя богатый опыт? Ничего подобного. Так откуда же такое самомнение?

Из наблюдений за Натальей Сергеевной и

самого примитивного расчета. За год с лишним я неоднократно имела возможность наблюдать, как она ведет себя в стрессовой ситуации или даже когда просто нервничает. Она совершенно теряет самообладание, она практически не слышит, что ей говорят, не понимает, что происходит вокруг, и не в состоянии все это осмысливать. В медицине это называется аффективной дезорганизацией мышления и деятельности. Может быть, у ситуации нет приемлемого выхода. И я с ней не справлюсь точно так же, как не справится Наталья. Но если выход есть, то она его точно не найдет, потому что три отпущенных ей (то есть мне) дня она проведет в паническом хлопании крыльями и все ее силы будут уходить на то, чтобы скрыть от домашних истерику и не дать ей вырваться наружу, ибо истерику, прорвись она вовне, надо как-то объяснять, а что она может объяснить? В конце концов, сил у нее не хватит, она даст себе волю и все разболтает. Плавали, знаем. А вот у меня есть шанс найти решение, если оно, конечно, существует. Только шанс, не более того, никакая не уверенность, но не использовать этот шанс я не имею права.

Перед уходом я заглянула к Главному Объекту, вид которого показался мне вполне удовлетворительным, учитывая сегодняшний приступ. Он читал, полулежа на диване, и на вопрос о самочувствии никаких жалоб не предъявил.

— Николай Григорьевич, я иду выгуливать Аргона, вас в десять часов покормит Наталья Сергеевна. Не возражаете?

Тут я заметила, что Старый Хозяин читает не книгу, а какие-то бумаги, причем делает на полях пометки и даже что-то выписывает в блокнот. Так бывало каждый раз, когда приближалось очередное заседание Совета ветеранов КГБ—ФСБ, в котором наш милый отставной полковник был активистом, а порой и основным докладчиком. Господи, сделай так, чтобы это заседание оказалось назначенным на пятницу, на нужное мне время, и чтобы Наталья согласилась отвезти туда свекра на своей машине!

— Готовитесь к заседанию? — спросила я.

— Да, Никочка, в пятницу. Такой вопрос сложный нам предстоит решить, надо как следует вникнуть...

Он что-то еще говорил, объясняя мне, какой сложный вопрос они будут обсуждать на заседании и как важно предварительно как следует в нем разобраться, но я уже не слушала. Господи, ты услышал меня! Ты снова помог мне! Спасибо тебе огромное, господи! Если ты помогаешь мне, значит, я иду правильной дорогой, которую ты одобряешь, в противном случае ты не стал бы помогать. Ты не мешал бы, но и не помогал, это я знаю точно.

— Кто вас повезет? За вами пришлют машину?

— Да что вы, Ника, не того полета я птица, чтобы за мной машину присылать. Вызовете мне такси, и никаких проблем.

— А обратно как же добираться?

— Подбросит кто-нибудь из коллег-ветеранов, как обычно.

Коллеги — это хорошо. За время моей работы в Семье Николай Григорьевич уже шесть или семь раз ездил на такие заседания, при этом три раза я вызывала для него такси, это я точно помню, еще пару раз за ним заезжал кто-то из этих самых коллег, и два раза его отвозила Наталья, которая в те дни не работала. Ну, где два раза, там и три, бог, как говорят, троицу любит.

Я оделась и стала засовывать Аргона в шлейку. Наталья и Алена в гостиной смотрели какую-то юмористическую передачу, закусывая интеллектуальное удовольствие виноградом, Денис так и не вернулся с тех пор, как ушел вместе с отцом.

— Наталья Сергеевна, вы в пятницу работаете? — спросила я, оборудовав пса для прогулки.

— А что?

— У Николая Григорьевича заседание Совета ветеранов. Мне не очень нравится его сердце в последние дни, не хотелось бы, чтобы он ехал на такси с посторонним водителем. Вы не сможете его отвезти?

В это время актер сказал с телеэкрана что-то очень смешное, зрители в зале захохотали, Алена тоже, и Наталья отвлеклась. Ей хотелось смотреть передачу, а тут я с какими-то глупостями.

— Конечно, конечно, Ника, — рассеянно проговорила она, не отрывая глаз от звезды сатиры и юмора. — Я отвезу его.

— Вам напомнить?

— Да, в четверг вечером напомните мне...

— Мама, запиши в органайзер, — ехидно посоветовала Алена, которая записывала в свой ежедневник вообще все подряд, вплоть до фильмов, которые собиралась посмотреть по телевизору. Я не шучу, она каждую неделю внимательно просматривала программу на предстоящие семь дней и выписывала все, что представляло для нее интерес, чтобы не забыть потом и не пропустить. Фантастическая девчонка! Ее ждет карьера крупного администратора, не меньше. — А то до четверга еще долго, забудешь и договоришься с кем-нибудь.

— Да, хорошо, ладно... — пробормотала Мадам, отправляя в рот виноградинку.

Ах, Алена, Алена, тебе кажется, что до вечера четверга еще так долго, а вот мне кажется, что до полудня пятницы времени совсем не осталось...

Ну что ж, указаний насчет встречи Великого Слепца не поступило, стало быть, я могу чувствовать себя свободной. Вероятно, Наталья точно знает, что с ЭТИМ человеком ее драгоценный супруг во время ужина в ресторане режим не нарушит. Наверное, это не дружеская встреча, а деловая, и обилия спиртного не предполагается.

На улице я сразу повернула в сторону спортплощадки, но, пройдя несколько шагов, остановилась. Мне кажется, я знаю, что нужно сделать. Во всяком случае, стоит попытаться. Если не сегодня, то завтра, или послезавтра, или в четверг. Господи, ты же помогаешь мне, правда? Значит, ты поможешь мне найти того человека, который мне нужен. Конечно, может так случиться, что я его найду, но он не сможет или не захочет мне помочь. Но все равно пытаться надо, за жизнь больного я привыкла бороться до конца, не опуская рук и не думая о том, что предпринимаемые мной усилия могут оказаться бесполезными.

Я развернула сорок собачьих килограммов в противоположную сторону и отправилась прямиком к отделению милиции. Привязала Аргона рядом с крыльцом и направилась к окошку дежурного.

— Добрый вечер.

Я постаралась придать своему лицу такое выражение, чтобы сидящий в дежурке капитан с физиономией, на которой явственно проступали все выпитые за последние две недели литры водки, не подумал, что у меня что-то случилось и я собираюсь писать заявление и требовать немедленного введения операции «Перехват». Милое такое сделала личико, беззаботное, как у дамочки, которая от скуки зашла поболтать с душкой-офицериком.

На мое приветствие дежурный почему-то не ответил, молча посмотрел на меня с тоской и унылой безысходностью.

— Вы мне не уделите буквально три минуточки? — прощебетала я. — У меня к вам совершенно дурацкий вопрос, вы даже, наверное, будете смеяться.

Насчет посмеяться дежурный капитан был, по-моему, не против, во всяком случае, безысходность на его лице чуть-чуть подтаяла.

— Слушаю вас, девушка.

Ого, в свои-то тридцать семь я снова прорвалась в девушки!

— Я ищу одного человека, которого видела однажды выходящим отсюда. Это не преступник, совершенно точно. По-моему, он ваш сотрудник. Или знакомый кого-то из вашего руководства.

— Имя знаете? Фамилию?

— В том-то и дело, что нет.

— А звание?

— Не знаю, он был в штатском.

— Так откуда же вы знаете, что он наш сотрудник, а не из числа задержанных?

Пришлось в двух словах рассказать ему о том, как я стояла, ожидая, пока Аргон сделает все свои дела, как из здания выходили веселые, хорошо одетые люди, как потом вышел еще один человек с букетами цветов, по всей видимости, юбиляр, и как ко мне подошел пожилой мужчина и спросил, не нужна ли помощь.

— Вот этого человека я и ищу.

— Пожилой, говорите? — включился в беседу лейтенант, который до этого в той же самой дежурке увлеченно смотрел по телевизору ту же передачу, что и Мадам с Аленой.

— Лет шестьдесят или чуть меньше, так мне показалось. Но было темно, — уточнила я, — я могла плохо рассмотреть.

— А одет был как?

— В плащ, старый, немодный и мятый, — отрапортовала я, как на экзамене.

— На какой машине он уехал? — задал в свою очередь вопрос капитан, страшно довольный, что я пришла с таким пустяком, а не с заявлением об украденном кошельке или утраченной невинности.

— Он пешком ушел. Я тогда еще удивилась, что все на машинах разъезжаются, а его никто не подвез, он пешком пошел в сторону метро.

— Это Никотин, — уверенно проговорил лейтенант и снова отвернулся к телевизору, утратив всякий интерес к продолжению разговора.

— Никотин? — удивленно переспросила я.

— Да, пожалуй, — задумчиво кивнул капитан, — очень похоже. А зачем он вам?

— Посоветоваться хочу. Он ведь спросил, не нужна ли мне помощь.

— Так это когда было, — фыркнул капитан, — начальник пятидесятилетие почти год назад отмечал.

— Вот год назад мне помощь и не была нужна. А сейчас нужна. Хотя бы совет.

— Ну, не знаю, не знаю. — Капитан пожал мощными плечами, тесно обтянутыми серо-голубой форменной рубашкой.

— Да тут и знать нечего, — убежденно заговорила я. — Вы мне только скажите, как его зовут и как его найти, для вас больше никакого беспокойства из этого не выйдет. Честное слово.

— Это не положено. Мы не можем давать имена, адреса и телефоны людей в первые попавшиеся руки. Мало ли кто вы такая...

Это точно. Я даже похолодела от понимания того, какой чудовищный промах допустила. А ну как он сейчас потребует показать документы? Что я ему покажу? Узбекский паспорт без справки о регистрации? Сомнительную бумажку о том, что я российская гражданка? И по всем моим рассказам выйдет, что я уже год живу без регистрации, коль в день пятидесятилетия начальника отдела милиции стояла и смотрела на разъезд гостей, и никакие жалкие частушки о том, что я только сегодня утром вновь вернулась в Москву из Ташкента, здесь не проканают. Ну и выдворят меня из Москвы в двадцать четыре часа. Или такой штраф потребуют, что лучше сразу повеситься.

— Я с вами согласна. — Я продолжала беззаботно улыбаться, тщательно контролируя голос и лицо. — А давайте мы сделаем вот как: вы же знаете, кто он такой, этот Никотин, вы с ним свяжитесь и спросите, помнит ли он женщину, которой предложил помощь, женщину с большой черной собакой, и готов ли с ней встретиться. Если нет, то и нет, его право решать, с кем он хочет общаться. А если да, пусть передаст через вас, как мне его найти. Можно так сделать?

— Пожалуй, можно, — протянул капитан. — Вы идите погуляйте пока, зайдите к нам минут через тридцать.

— И вы мне скажете ответ? — с надеждой произнесла я.

— Ну... я вам ничего не гарантирую... может, я его и найти-то не смогу за это время... и вообще...

Он вымогал подарок, это было очевидно.

— Мальчики, с меня коньяк, если через полчаса вы мне скажете, где и когда я смогу встретиться с этим вашим Никотином. Договорились?

По маслено блеснувшим глазкам капитана я поняла, что договорились. Но всю малину ему испортил лейтенант — любитель юмористических программ.

— Да брось ты, Сан Саныч, из женщины жилы тянуть. Чего его искать-то, Никотина? Здесь он, у Гришки Белецкого в кабинете. Сними трубку да позвони.

Капитан побагровел и кинул на лейтенанта, вернее, на его спину, поскольку тот так и сидел, отвернувшись к телевизору, взгляд, которым можно было бы испепелить небольшой подмосковный городок. Расстроился, бедолага. Но я никогда не отличалась неблагодарностью и страстью к халяве.

— Мальчики, я своих слов назад не беру. С меня коньяк. Я сейчас пойду в магазин, но вернусь не через полчаса, а минут через десять. Идет?

Капитан молча кивнул и уткнулся в какие-то бумажки, изображая невероятную занятость. Я выскочила на улицу, отвязала собаку и помчалась к киоску, где продавалось спиртное. Конечно, можно было нарваться на фальсификат, киоски — место крайне ненадежное, но нормальные магазины уже закрыты, а до супермаркета далеко. Но будем надеяться, что если именно сегодня ангел меня хранит, то он не позволит мне купить явную «палёнку».

Ровно через десять минут я снова привязывала Аргона у входа в отдел милиции, держа под мышкой бутылку коньяку. И в этот момент на крыльцо вышел тот самый человек. В том же самом плаще.

— Вы меня искали?

— Все понятно более или менее, — заключил он, выслушав мой путаный и торопливый (ввиду ограниченного резерва времени) рассказ.

Я уже предупреждала, что рассказчик из меня аховый, ну не умею я быстро, четко и последовательно излагать события, не дано мне от природы такое умение. Но человек, которого в дежурной части называли Никотином, слушал меня терпеливо и даже не морщился досадливо, когда я сбивалась и возвращалась в своем повествовании назад или забегала вперед.

— Так вы сможете мне помочь хотя бы советом? — нетерпеливо спросила я и замерла в ожидании приговора.

Я так торопилась с самого начала, что даже не спросила, как его зовут на самом деле и кто он такой. Просто он вышел и сразу спросил:

— Так вам все-таки нужна помощь?

— Теперь нужна.

— Хорошо, давайте погуляем, и вы все мне расскажете.

Ну я и кинулась скорей рассказывать, пока он не передумал меня слушать. И вот, закончив бестолковый свой рассказ, я поняла, что даже не знаю, перед кем тут распиналась целых полчаса.

— А кстати, как мне к вам обращаться? —

тут же задала я второй вопрос, даже не успев дождаться ответа на первый.

— Кстати — меня зовут Бычков Назар Захарович. Так что имечко у меня такое же специфическое, как и ваше, Вероника Амировна. Мой дед родом из Самарканда.

Я понимала, о чем он говорит. Многие считают имена «Захар» и «Назар» устаревшими и непопулярными русскими именами, хотя на самом деле эти имена — арабские и широко распространены на Востоке, в том числе и в Узбекистане. Что в переводе означает «Назар», я не помню, а вот «Захар», если не ошибаюсь, — яд. Просто в некоторых восточных языках в связи с особенностями произношения отдельных букв это может звучать как «Джахар» или, например, «Наджар». Надо же, почти земляк!

— А почему вас зовут Никотином? — бестактно спросила я.

— По трем причинам, — ответил он в рифму. — Первая — фамилия. Бычков — бычок — окурок — сигарета — никотин. Логический ряд понятен?

— Понятен. А вторая причина?

— Курю много. Всю жизнь много курил, причем исключительно «Беломор». Докурился до того, что на пальцах появились желтые пятна от никотина.

— А третья?

— А вам двух мало? — ехидно осведомился Назар Захарович.

— Вообще-то мне и одной было достаточно, но вы же сказали про три, а я люблю ясность.

— По третью причину говорить как-то... нескромно, что ли. Подумаете еще, что я хвастаюсь.

— Не подумаю, — пообещала я. — Честное слово. Так какая причина?

— Мои коллеги говорили, что я въедливый, как никотин, и такой же вредный. А уж когда я обмолвился, что мое отчество, то есть имя моего отца, в переводе с арабского означает «яд», тогда прозвище прилипло уже навсегда. Так с ним и хожу.

— А кем вы работаете, Назар Захарович?

— Да почти что никем, — рассмеялся он негромким и каким-то дребезжащим смехом. — Так, преподаю понемножку.

Вот уж кто не болтун, так это мой новый знакомый. Слова лишнего не скажет, не то что я.

— Какой предмет? — настырно продолжала я, краешком ума стараясь удерживать мысль о том, что на мой главный вопрос он пока так и не ответил.

— Предмет мой называется «Оперативно-розыскная деятельность». Вот через год мне шестьдесят исполнится, тогда уйду на пенсию, сниму погоны и буду сам себе хозяин.

— Так у вас же выслуги, наверное, лет тридцать пять, вы давно могли уйти в отставку.

— Сорок три года, — в его голосе прозвучала почему-то не гордость, а усталость и разочарование. — Я и не хочу в отставку, я хочу работать, но после шестидесяти меня никто не оставит на должности. Положение о прохождении службы не позволяет.

— А начальник отдела милиции — ваш знакомый?

— Ученик. И не только он. В этом отделе сразу трое моих учеников, так уж сложилось. Начальника, Юрку Белоглазова, я натаскивал и учил, когда он еще был молодым опером. Мы с ним вместе на Петровке работали, в уголовном розыске. А двое других — мои выпускники, я им лекции читал и практические занятия проводил, когда ушел из розыска и занялся преподаванием. Ну что, Вероника Амировна, удовлетворил я ваше любопытство?

— Нет еще.

— Ну и аппетиты у вас, — усмехнулся он. — Что еще вы хотите знать?

Я смутилась. В самом деле, чего я сую нос куда попало? Человек оказал мне любезность, согласился встретиться и выслушать меня, а я ему форменный допрос устраиваю. Но, с другой стороны, я собираюсь довериться ему, его знаниям и опыту, и хотелось бы понимать, можно ли это делать и правильно ли я поступаю.

— Еще я хотела спросить, почему вы регулярно приходите к своим ученикам. Водку вместе пьете?

Это было уж и вовсе грубо, но спросить я должна. Не хватало еще решение своих проблем доверить алкоголику. Хотя пока что я никаких признаков запойного пьянства в Никотине не обнаруживала, но мы еще так мало общаемся, что я могу и ошибиться.

— Пьем, — согласился он. — Иногда. Когда есть повод или ситуация позволяет. Но чаще делимся информацией.

— Какой?

— Я ведь будущих оперативников учу, я должен держать руку на пульсе и вовремя узнавать, какие появляются новые способы совершения преступлений, какие группировки возникают в Москве, а какие распадаются, в общем, множество всяких тонкостей, которые видишь только тогда, когда на земле работаешь, а не в аудитории сидишь. А я, в свою очередь, какой-никакой совет то и дело подкину, опытом поделюсь. Обмен у нас взаимовыгодный. Еще вопросы будут?

— Будут.

— Валяйте, — обреченно вздохнул Бычков.

— Почему вы согласились со мной встретиться?

— А вы мне понравились. — Он лукаво посмотрел на меня и снова задребезжал своим тихим и, честно признаться, не очень приятным смехом. — Не стану врать, что весь год я вас помнил и только о вас и думал, нет, я забыл о вас через три минуты после той встречи. Но когда ребята из дежурки сказали, что меня разыскивает некая блондинка, которую я год назад видел с большой черной собакой, я вас вспомнил сразу же. И вспомнил, что тогда, год назад, вы мне понравились. Вы очень приветливо со мной разговаривали, несмотря на то, что я старый, некрасивый и немодный, кроме того, я немного выпил на юбилее у Юрки Белоглазова и от меня пахло спиртным, так что вы вполне могли подумать, что я к вам непристойно пристаю, но тем не менее вы не грубили и не хамили. И голос ваш мне понравился, и лицо, и фигура. И вообще я люблю блондинок, блондинки — моя слабость.

— И жена у вас блондинка?

Кажется, сегодня я решила побить рекорд по бестактностям. Но коль ангел меня хранит именно сегодня, то мне и этот грех простится.

— Была. Я вдовец, — коротко ответил Никотин.

— Простите, — удрученно пробормотала я.

— Ничего страшного, я вдовствую уже много лет, привык. Ну что, Вероника Амировна, мы можем наконец перейти к делу? А то время-то, я смотрю, уже позднее. Вас хозяева хватятся, да и мне до дома неблизко добираться.

— Да, давайте перейдем.

— Тогда перво-наперво мы с вами договоримся, что ты для меня будешь просто Никой, а я тебе буду дядей Назаром. Меня все ученики так зовут. За глаза, конечно, Никотином кличут, а в глаза — дядей Назаром. Мне так удобнее. А тебе?

— Нормально, — выдала я стандартный ответ.

Быть Никой привычно. А если Бычкову нравится быть дядей Назаром, так за ради бога. Мне-то какая разница? Лишь бы толк вышел.

— Вот и ладушки.

Он вытащил из кармана плаща пачку «Беломора», закурил.

— Теперь к делу. Этот тип обращался к тебе на «вы»? Я правильно понял?

— Да.

— И он был в курсе, сколько твоя хозяйка получила за два последних заказа. Значит, он из ее среды, не уголовник и не шантрапа, просто решил срубить денег влегкую. Согласна?

Я немножко подумала и согласилась. Все-таки я, как и большинство людей, — раб стереотипов. Если голос приятный, то и обладатель его — человек интеллигентный, а у урок и прочих придурков голос обязательно должен быть противным, а манера говорить — грубой. Умом-то я понимаю, что это все совсем не обязательно, но в жизни почему-то чаще всего именно так и получается.

— И для твоей хозяйки в этой ситуации есть еще одна опасность, о которой ты, Ника, судя по всему, не подумала. Если этот ее любовник окажется женатым заказчиком или мужем заказчицы, что, в сущности, одно и то же, то... как ее? Наталья?

— Наталья.

— Наталья твоя может получить репутацию воровки чужих мужей. И ни одна семейная пара к ней больше не обратится. Ты же понимаешь, что дизайнер-архитектор — это человек, который придумывает дизайн для дорогих квартир или коттеджей, а то и особняков. То есть клиенты у нее — люди не бедные, а даже совсем наоборот. Такие клиенты дизайнера с улицы, первого попавшегося, не возьмут, они будут искать человека с рекомендациями, будут наводить о нем справки. И в таком деле репутация — первейшее условие. Ни одна женщина в здравом уме не согласится иметь дело с твоей хозяйкой, если узнает, что у нее был роман с заказчиком. Так что Наталья не только семейным благополучием рискует, но и финансовым. Но это так, к слову. Я просто хочу сказать, что этот шантажист, скорее всего, ее коллега, такой же дизайнер, поэтому он в курсе ее дел. И рассматривает ее как конкурентку. Может, она у него клиентов перехватила, или ему самому репутацию испортила, или еще как-нибудь напакостила. И если это так, то сначала он будет вымогать деньги за то, чтобы муж ничего не узнал, а потом — за то, чтобы это не просочилось в профессиональную среду. Так что одноразовой выплатой ты от него не отделаешься.

— Да я и не думала платить! У меня нет таких денег. А если бы и были, я бы их не отдала за чужие грехи.

— Понимаю, понимаю, — закивал Никотин. — Это я так, к слову. Значит, ты твердо решила, что хозяйке ничего не скажешь? Подумай еще раз, Ника, это ведь шаг очень ответственный.

— Ой, Назар Захарович...

— Дядя Назар, — строго перебил меня Бычков.

— Ну да, дядя Назар, — спохватилась я. — Дядя Назар, Наталья — приличная во всех отношениях тетка, не злая и не вредная, но в решающий момент может наделать глупостей. Мозги у нее так устроены.

— Как говорил умница Бабель, на этой земле нет женщины, которая не была бы безумна в те мгновения, когда решается ее судьба, — задребезжал он.

— Неужели Бабель это сказал?

— Сказал, Ника, сказал. Вернее, написал. Хорошо, будем априори считать доказанным, что у тебя нет другого выхода, кроме как взять все дело на себя. Это больше не обсуждаем. Какой совет ты хотела бы от меня услышать?

— Я бы хотела понимать, есть ли смысл обращаться в милицию и есть ли в милиции люди, которые умеют разбираться с шантажистами так, чтобы члены семьи ничего не узнали.

— Отвечаю сразу: смысла нет. Люди, которые все это умеют, есть, а смысла обращаться к ним нет.

— Почему?

— Да потому, милая моя Ника, что они не захотят с этим возиться. Вот если бы у твоей хозяйки ребенка украли и требовали выкуп, тогда они на ушах стояли бы. Запомни, дочка, сегодня в милиции нет людей, которые не стремятся заработать денег помимо зарплаты. Нет таких, понимаешь? Все хотят жить и все хотят хорошо зарабатывать. Если у тебя есть деньги, чтобы заплатить операм, они все сделают. Если же денег нет, они, как только ты к ним обратишься, скажут, дескать, пусть придет сама потерпевшая и напишет заяву. Ты же не потерпевшая, с тобой даже разговаривать никто не станет. Они будут требовать, чтобы пришла Наталья, и вся твоя затея рухнет, даже не начавшись.

— А если я заплачу — станут разговаривать?

— За милую душу. Еще и в рот заглядывать будут и каждое слово твое ловить.

— Я вам не верю, — твердо заявила я.

— И напрасно, — Никотин снова закурил. —

Некоторые из моих учеников знаешь как работают? Нароют, к примеру, материалы о каких-нибудь экономических нарушениях и давай провинившегося за вымя тянуть. Провинившийся кидается к своим покровителям за защитой, покровители звонят оперативникам, а те отвечают: плати деньги, мы передаем тебе все материалы, и делай с ними что хочешь. Вот и весь сказ, деточка. А если с преступника взять нечего, так на хрена им такая головная боль? Они пару дней повозятся, видимость активности изобразят и на тормозах спускают. Так что если ты платить за работу не собираешься, то и не суйся в милицию.

— Но у вас же есть ученики, знакомые, — растерянно проговорила я. — Неужели ради вас они не сделают все как надо?

— Ради меня — да, сделают. А ради тебя — нет. Есть разница.

— Даже если вы их попросите?

— Да пойми же, чудачка, они прекрасно знают, что есть я и есть мой единственный сын, то есть сделать что-то ради меня — это сделать лично для меня и для сына. Тут они в лепешку расшибутся, и то не факт, что сделают все как надо, потому как все люди, все ошибаются, а у кого-то, может, и просто мозгов не хватит, опыта, профессионализма. А все остальные, кого я к ним приведу, — это посторонние люди. Понимаешь? Сегодня я одного приведу, завтра другого, послезавтра третьего, и что же, им бесплатно пахать на весь круг моих знакомых? Им это не понравится, уверяю тебя. Даже если они и согласятся, то, во-первых, сработают не на совесть, а во-вторых, в скором времени начнут меня избегать, потому как от меня им одни только хлопоты и никакого навару. Да и я никогда на такое не пойду, злоупотреблять добрым отношением — неприлично.

— И все-таки, — тупо упиралась я, — неужели нет такого человека, который откликнется на вашу просьбу? Я не верю, что все преступления раскрываются только за деньги, так не может быть. Неужели нет такого милиционера, которому можно все рассказать, чтобы он сделал всю работу законным путем? Надо только попросить его, чтобы он отнесся к этому повнимательнее.

— Ника, дорогая моя, я могу их десять раз попросить, но что толку-то? Пока Наталья твоя не напишет заявление или хотя бы не даст письменных объяснений, дело не возбудят и работать по нему никто не будет. А работать за просто так, без возбужденного дела, они будут только за деньги. Более того, даже если я уговорю их работать бесплатно, они обязательно напортачат, и Наталья обо всем узнает. Тут нужна тонкость, профессионализм плюс хорошая голова на плечах. Такое дело, как у тебя, моим ученикам не доверишь.

— Неужели у вас за столько лет не было по-настоящему толковых учеников? — не поверила я.

— Были. И немало. Да только где они сейчас?

— А где?

— Где угодно, только не в милиции. В службах безопасности всяких фирм и банков, в частных детективных агентствах, еще бог знает где. И среди них есть такие, кто справился бы с твоим делом. Но — за деньги. Бесплатных гамбургеров не бывает, сама небось знаешь.

— И сколько такая работа может стоить?

— Две — две с половиной тысячи долларов. Может быть, и три. А может быть, и все десять. Шантажиста нужно сначала найти, а потом утихомирить. Если бы на твоем месте сейчас стояла твоя хозяйка, она назвала бы мне пару-тройку фамилий своих коллег, от которых можно ожидать подобной гадости, и тогда все было бы намного проще и дешевле. Ребята отрабатывают каждого кандидата и ищут среди их связей того, кто ей звонил и требовал деньги. Понятно ведь, что они не сами это делали, и фотографировали ее не сами, она их в лицо знает и голос узнать может. То есть у дизайнера-мстителя есть подельник, и надо обоих установить и головы им отвернуть. А если не знать даже приблизительно, кого отрабатывать, то все может усложниться. Поняла?

— Поняла, — понуро ответила я.

Две с половиной тысячи долларов. А может быть, и три. Это почти все, что у меня есть. А если все десять? И снова я стою у развилки и вынуждена принимать решение. По какой дороге пойти? Заплатить, отдать все, что удалось скопить, и начать все сначала в надежде на то, что Николай Григорьевич проживет еще много лет? Или не платить, и пусть все идет как идет, и пусть будет скандал, и пусть Старый Хозяин обо всем узнает и... Что — и? Переживет как-нибудь? Или выдаст такой приступ, от которого его не спасут самые лучшие врачи? И я останусь без работы... И ничего уже не смогу накопить.

— Мне нужно подумать, дядя Назар.

— Это само собой, — охотно согласился он. — Деньги немалые, обязательно надо подумать как следует. Время у тебя есть пока до пятницы, это три полных дня, а потом, если правильно себя поведешь, он тебе еще парочку дней подкинет. Так что подумай, не торопись. Но и не тяни, ребятам для работы тоже время нужно, они тебе такой объем за один день не выполнят.

— Дядя Назар, а вы сами тоже за деньги работаете?

— Я? — Он равнодушно пожал плечами, будто мой вопрос не задел его и не обидел. — Нет, мне хватает зарплаты, хотя она, конечно, до смешного маленькая. Но у меня запросы небольшие, я ведь почти старик, много ли мне надо? На работе в форме хожу, ее бесплатно выдают, а вне работы и в старой одежде сойдет, в мои годы модничать не пристало. В еде я неприхотлив, да и ем немного, не обжорствую. Машины у меня нет, так что ни на бензин, ни на ремонт не трачусь. Знаешь, детка, чем у человека меньше имущества, тем меньше денег ему нужно, чтобы прожить. Странный закон, да? А ведь правильный! Имущество — оно прожорливое, ненасытное, оно на себя затрат требует. Купил большой дом — ремонтируй его, обставляй, содержи, котельная там какая-нибудь, бассейн, сад, охрана, садовники. А живешь в малогабаритной квартирке, так и денег на все это не тратишь. И потом, Ника, ты меня с молодыми операми не равняй, я один, жены у меня нет, зато сын есть, он хорошо зарабатывает и меня всем необходимым обеспечивает. Я имею в виду, тем, чего я на свою зарплату купить не могу. А у молодых оперов у самих дети, которых надо содержать, и жены, которые все требуют, требуют, требуют...

Он безнадежно махнул рукой и потянулся за очередной «беломориной».

— Ладно, детка, иди домой, поздно уже. Пошли, провожу тебя до подъезда. Вот тебе мой телефон. — Никотин протянул мне визитную карточку, которую достал откуда-то из-за пазухи, вероятно из кармана пиджака, который был, как я думаю, таким же старым, немодным и мятым, как и его плащ. — Ты мне завтра обязательно позвони. Независимо от того, что ты надумаешь. Я должен знать, как у тебя дела.

— Почему?

Вопрос был глупым, но мне было все равно. Названная Никотином сумма, с которой мне, по всей вероятности, предстояло расстаться, подавила все прочие эмоции и благоразумные порывы.

— Потому что ты мне нравишься, — он улыбнулся. — У тебя приятный голос, красивое лицо и замечательная фигура. И вообще я люблю блондинок. Твой телефон не спрашиваю, сама позвонишь, когда тебе будет удобно, чтобы никто не подслушивал.

Он вошел в подъезд вместе со мной, и, пока мы ждали лифта, я при нормальном освещении сумела наконец рассмотреть как следует своего нового знакомца. Н-да, на роль благородного отца семейства его не утвердили бы не только в Голливуде, но и на «Мосфильме». Некрасивенький, какой-то плюгавенький, все лицо в глубоких морщинах, на голове три волосины. Но глаза! Яркие, умные, цепкие, живые. Наверное, он украл эти глаза у своего сына. Это были глаза веселого и неунывающего сорокалетнего мужика, уже кое-что повидавшего в жизни и даже успевшего это осмыслить, мужика, сознающего свою неотразимость для женщин. Это были глаза мужчины, твердо верящего, что для него нет ничего невозможного. Это были глаза победителя.

К моему возвращению с вечернего «собакинга» дома образовался полный сбор, и Гомер вернулся со своего делового ужина, и Денис притопал. Окефиренный и отвороженный Главный Объект даже успел лечь спать.

— Как ваша голова, Ника? — заботливо спросила Наталья.

— Спасибо, прошла. Все нормально, Наталья Сергеевна.

— Может, все-таки таблетку какую-нибудь выпьете?

Ой, не могу, держите меня семеро! Она еще будет учить меня, медика с высшим образованием, как мне лечиться! Ученого, говорят, учить — только портить. Но до чего ж она, бедняжечка, боится, что я заболею... А что, если нахально спекульнуть этим ее опасением? Кто знает, может, мне завтра свободное время понадобится.

— Вы завтра дома? — спросила я как бы между прочим.

— А что? Вам надо отлучиться?

— Еще не знаю. Но если завтра голова опять меня замучает, то надо будет подъехать к знакомому доктору в поликлинику, пусть снимок черепа сделают — нет ли внутричерепного давления, чтобы я точно знала, какие препараты принимать.

— Конечно, Ника, конечно, поезжайте. Со

здоровьем шутить нельзя. Я завтра буду дома, так что можете рассчитывать.

Ну вот и славненько. Теперь остается только простерилизовать кухню после вечернего кормления, налить животным свежей воды на ночь, и можно запираться в своей комнате и начинать обдумывать предложение Никотина.

Через сорок минут я приняла душ, надела халат и закрыла дверь в кабинет Адочки. Времени у меня не так уж много, до утра всего, и за это время я должна принять решение. Итак, что мы имеем? Четыре с половиной тысячи долларов, накопленные ценой всяческих лишений, фактически — ценой утраты женственности. Чем еще я располагаю? Одеждой из бутиков, а также несколькими цацками, которые в скупке примут по цене лома. Могу я расстаться с тряпками? Наверное, могу, все равно при том образе жизни, который я теперь веду, они мне не нужны. Куда их надевать-то? Жарить отбивные в костюме за тысячу долларов? Или, может, поливать цветочки в летнем платьице от Кензо? К тому времени, когда я встану на ноги и снова смогу все это хоть куда-то носить (если такое время вообще настанет), эти милые тряпочки за бешеные бабки уже давно выйдут из моды. А с какой любовью я их выбирала! И Олег был рядом, терпеливо пережидал мои примерочные страдания и щедро доставал купюры из бумажника. Хорошее было время! Господи, как давно это было...

Я на цыпочках выкралась в длинный коридор, застроенный сплошным шкафом-купе, где мне отвели отдельную секцию. Неслышно отодвинула зеркальную дверцу, включила подсветку. Вот это черное длинное платье-стретч мы покупали, когда получили приглашение в ресторан на празднование дня рождения Олежкиного шефа. Олег тогда долго придирался и говорил, что я должна быть на этом сборище самая красивая и он не позволит мне выглядеть абы как. А вот этот костюмчик я покупала одна: Олег выдал мне перед Новым годом некую сумму и сказал, чтобы я сама выбрала себе подарок. А в этой юбке я ему почему-то особенно нравилась... Неужели у меня рука поднимется продать вещи, с которыми связано столько воспоминаний? Ведь у меня не осталось от жизни с Олегом ничего, кроме тряпок и украшений, ни дома, ни мебели, ни книг, которые мы вместе читали, ни телевизора, который мы вместе смотрели.

Я выключила свет и пошуршала тапочками назад, к себе. Включила компьютер, вышла в Интернет. Вот на что в Семье денег не пожалели, так это на компьютеры: их было целых три. Одним безраздельно обладала Алена, никого к нему не подпуская и ревностно оберегая свои смешные девичьи секреты, вторым владел Денис на паях с Мадам, а третий стоял у Адочки.

То есть этим компьютером могла пользоваться я, что я и делала примерно раз в неделю — проверяла почту, писала письма друзьям, а если по ночам вдруг охватывала тягучая тоска, липкая и отвратительная, похожая на протухшую тянучку, то развлекалась какой-нибудь незатейливой игрой.

Я поискала и нашла несколько сайтов о комиссионной продаже и покупке элитной одежды. Посмотрела на цены и усмехнулась. За мои тряпки я смогу получить четверть цены, и то если повезет. Отправила на все сайты сообщения с предложением и полезла за коробочкой с украшениями. Руки дрожали, как будто я эти украшения воровала, а не доставала собственное имущество. Вот это кольцо Олег подарил мне на свадьбу, браслет — его подарок на мой день рождения, серьги — три года назад к 8 Марта. А вот это колечко, совсем маленькое, тоненькое, подарили мои родители на восемнадцатилетие... Сколько за все это можно выручить? Если по цене лома, то долларов триста, вряд ли больше. Смешно! Ну, за камни в кольце и серьгах — еще триста. И почему я так не любила камни и всегда просила, чтобы украшения были только из золота? Олег хотел, чтобы цацки были не простенькими, и поскольку я упиралась насчет камней, он заказывал мне украшения у ювелиров, которые делали эксклюзивные вещи и брали огромные деньги за работу. Вот в этом витом браслете, например, работа стоит почти столько же, сколько материал, а продать я его смогу за копейки, в скупке работа не оценивается, учитывается только чистый вес изделия. Каналов же, по которым можно продать украшение именно как изделие, за полную цену, и при этом твердо знать, что меня не обманули, у меня нет.

В дверь истошно замолотил пушистыми лапками Патрик, я открыла и впустила его. Он тут же по-хозяйски запрыгнул на диван, добрался до подушки и вопросительно-укоризненно посмотрел на меня: дескать, чего ты колобродишь, приличные люди уже третий сон смотрят давно, давай и ты укладывайся, а то мне спать негде. Патрик был строг, но доверчив. Для него главное — уснуть у меня на голове, на подушке, а потом может происходить все, что угодно, его это не сильно волнует. Я сжалилась над котом и прилегла, не снимая халат. Он тут же устроился на привычном месте, в верхней части подушки, опираясь теплым бочком на мое темечко, и тихонько заурчал. Минут через десять урчание стихло, я подождала еще немного и осторожно сползла с постели. Кот даже не шелохнулся. Не думаю, что он не слышал, как я встаю, кошки спят неглубоко и чутко и полностью контролируют ситуацию на подведомственной территории, просто Патрику было все равно, вот он и не реагировал. Во всем должен быть порядок, поздно вечером Ника должна лечь и пустить кота на подушку, так заведено, и менять ритуал никому не позволено. А потом можно делать что угодно.

Я снова села к компьютеру, решив на всякий случай поискать информацию о покупателях золотых изделий. Конечно, доверять незнакомым людям нельзя, но дополнительные знания не помешают. И черт меня дернул залезть в свой почтовый ящик, ведь только позавчера я смотрела почту и ответила на все письма. Чего я в него сейчас полезла? Будто дьявол за руку тянул. А может, все тот же ангел продолжал нести свою вахту. Не знаю, как правильно.

А в ящике меня ждало письмо от Жанны. От той самой Жанны, которая вышла замуж за однокурсника Олега и уехала с ним в США. От той Жанны, которая вместе с мужем так звала нас в гости к себе, в Калифорнию, и к которой в результате Олег поехал вместе со своей Галочкой. Из письма я узнала, что Галочка Жанне ужасно не понравилась, и она вообще не понимает, как такое могло случиться, и какой Олег свинтус и подлец, и как он мог так поступить со мной да еще привезти вместо законной жены какую-то бабу. Но одно дело — узнать что-то из письма, и совсем другое — понять кое-что из того же текста. И вот что я поняла: Галочка оказалась вовсе не хуже меня, а может, и лучше, и Жанне и ее мужу, в сущности, абсолютно безразлично, с какой спутницей приехал Олег (в противном случае они не оформляли бы им приглашение). Олег бодр, весел и счастлив. Но мягкосердечная Жанна решила отписать мне, чтобы я не сочла ее совсем уж предательницей. Ее письмо — не акт дружеской поддержки, а проявление жалостливого сочувствия, как мы жалеем порой сирых и убогих, потому что им недоступны те же радости, что и нам. Ее жалость перелетела через океан и, утратив первоначальную розовость крыльев, обрушилась на меня в центре Европы грязной рваной тряпкой, которую уже приготовился выбросить и поэтому без малейших сожалений отдаешь бомжу, ищущему, чем бы прикрыться, чтобы не замерзнуть.

Мне стало тошно. Именно в этот момент я вдруг поняла, что вся моя красивая сытая жизнь осталась в прошлом безвозвратно, и нет смысла цепляться за воспоминания о ней. Этот кусок жизни я прожила окончательно, бесповоротно, и не нужно вытаскивать из старого нарядного ковра короткие разноцветные ниточки в надежде наковырять их побольше и соткать новый ковер. Новые ковры ткутся из новых нитей. А из старых ниток, воровато вытащенных из уже не принадлежащего тебе ковра, могут получиться только маленькие носочки, не налезающие ни на одну ногу и расползающиеся на части прямо в руках.

И я твердо решила избавиться от дорогого и

ненужного мне шмотья. А может быть, и от украшений. Независимо от того, буду я платить за работу с шантажистом или нет. Шмотки и цацки — это вопрос моего прошлого, шантажист — вопрос моего будущего. И не надо путать одно с другим. Прошлое должно помогать будущему, только в этом его предназначение, больше ни для чего оно не нужно. Прошлое — это опыт, это уроки, которые ты извлекаешь и потом используешь, чтобы твое будущее стало более соответствующим твоим желаниям и потребностям. Но если из прошлого можно извлечь немного денег, чтобы подкрепить будущее, — тоже неплохо. Только не надо цепляться за прошлое. Оно никуда не потеряется, оно свою роль и так сыграет, если у тебя есть голова на плечах.

«Храни меня вдали от тьмы отчаяния,
Во времена, когда силы мои на исходе,
Зажги во мраке огонь, который сохранит меня...»

Даже если этот огонь — не пылающий костер очага, где меня ждут и мне рады, а всего лишь глупая бирюзовая занавеска для ванны.

* * *

Утром выспавшаяся и свежая, как утренняя роса, Мадам наткнулась на мое серое осунувшееся лицо и запавшие глаза и ахнула:

— Ника! Вы заболели! Вы ужасно выглядите.

Тоже проявление большого ума, надо заметить. Разве можно говорить женщине, что она ужасно выглядит? Хотя, впрочем, наверное, можно, если она не подруга и не коллега по работе, а всего лишь прислуга. Знала бы она, что мой вид свидетельствует не о болезни, а о том, что я всю ночь и в буквальном, и в переносном смысле оплакивала свое прошлое и прощалась с ним. И с ним, и с несколькими квадратными метрами моей будущей квартиры. И если я выгляжу сегодня утром не совсем убитой, а всего лишь слегка подраненной, то лишь потому, что меня спасает бирюзовая с красными рыбками занавесочка для ванны. Так и стоит, родимая, у меня перед глазами, я видела ее в магазине «Бауланд» и никак забыть не могу. Я сделала из нее парашютик, который не дает мне разбиться при падении с высоты моего прошлого благополучия.

— Вам обязательно нужно съездить к врачу, — уговаривала меня Наталья. — Болезнь надо ловить в самом начале и душить в зародыше.

Ну кто бы спорил. Теперь нужно улучить момент и позвонить Никотину. Хотя чего там конспирацию разводить? Я же сказала, что собираюсь ехать к знакомому врачу проверять внутричерепное давление, вот и позвоню доктору дяде Назару. Прямо сейчас и позвоню, чего тянуть? Я вытащила из кармана куртки маленькую визитную карточку, на которой не было никаких данных, кроме имени, фамилии и трех телефонов.

Дозвонилась я с первой же попытки.

— Назар Захарович, доброе утро. Это Ника.

— Утро доброе, Ника! — Мне показалось, он обрадовался, услышав мой голос. — Как дела? Надумала что-нибудь?

— Хочу к вам подъехать, Назар Захарович. Это можно?

— Можно, но необязательно. Могу и я к тебе подъехать. У меня третья пара, лекция, потом я свободен. Ты как, просто поговорить настроена или дело делать?

— Дело будем делать. — Я оглянулась на стоящую в метре от меня Наталью, разглядывающую себя в зеркале, и на всякий случай добавила: — Мне надо давление измерить, вторые сутки голова болит — просто спасу нет.

Никотин выдал короткую порцию дребезжания:

— Маскируешься? Правильно. Дело у нас с тобой будет на Садовнической улице, так что давай встретимся в три часа на «Новокузнецкой». Сможешь?

— Смогу, Назар Захарович. В три часа. Спасибо вам.

— Да пока не на чем.

— Мне что-нибудь нужно иметь с собой? Паспорт, деньги?

— Пока ничего не нужно. Себя в целости довези, — усмехнулся он, — и на сегодня достаточно.

До двух часов я успела переделать всю полагающуюся на сегодняшний день домашнюю работу, которой было по сравнению с днем предыдущим не так много, поскольку уборку я сделала накануне и кошачье-собачье-аптечные вояжи тоже спроворила.

В два часа я начала собираться. Не удержалась от соблазна и надела хороший костюм, все-таки «в люди» выхожу, а не на рынок за картошкой. Пока надевала костюм — тихо порадовалась, что все пуговицы застегнулись без труда, стало быть, за минувший год я в весе не прибавила и не раздалась, хотя от стресса и переживаний я раньше всегда поправлялась. Но потом посмотрела на себя в зеркало и приуныла. Какой костюм от Шанель? О чем вы говорите, дамочка? Такой костюм требует головы и лица, сиречь прически и макияжа, неплохо бы и аксессуаров добавить в виде туфель, сумочки и украшений. Аксессуары были, но волосы и лицо все портили. Не подходили они к дорогой элегантной тряпочке, ну совсем не подходили!

И потом, в том месте, куда меня поведет Никотин, тоже не дураки сидят. Увидят фирменную одежку и сразу подумают, что с меня можно деньги тянуть немерено. Нет уж, Кадырова, снимай-ка ты свой красивенький костюмчик и влезай в брюки, джемпер и турецкую куртку, купленную на ташкентском рынке. Шапка должна быть по Сеньке, сомбреро — по Хуану, а каждый сверчок гораздо успешнее справляется с вокалом, когда сидит на своем шестке, а не на чужом.

— Наталья Сергеевна, вот обед для Алены, — я открыла холодильник и показала хозяйке кастрюльку и мисочку, — вот это — для Николая Григорьевича, вот в этой кастрюле — ваш овощной суп, разогреете в микроволновке, и салат, я его не заправляла, чтобы не мок.

Наталья рассеянно смотрела в мою сторону, но, по-моему, слышала не все, а понимала еще меньше.

— К ужину я вернусь, — пообещала я.

— Надеюсь, — бросила Мадам и удалилась в гостиную.

На «Новокузнецкую» я приехала минут за десять до назначенного времени, но Никотин уже ждал меня в условленном месте. Все тот же плащ, все та же «беломорина» в желтоватых пальцах, только глаза не веселые, как вчера вечером, а строгие.

— А куда мы идем? — спросила я, вышагивая рядом с ним.

— Мы идем в частное детективное агентство, которое возглавляет мой ученик.

— Вы с ним уже говорили о моем деле? Он согласен взяться за него?

— Я ему звонил.

Что-то дядя Назар снова стал неразговорчивым, уж не случилось ли чего? Не буду больше приставать к нему с вопросами, чтобы не раздражался.

Остаток пути мы проделали молча. Садовническая улица показалась мне тихой и провинциальной, наверное, из-за трехэтажных домов и некоторой обшарпанности фасадов. Вход в таинственное агентство оказался сродни поиску сердца Кощея Бессмертного: войти в дверь, сказать заветное слово охраннику, пройти во внутренний двор, найти еще одну дверь, набрать код, подняться на второй этаж, набрать еще один код, сказать еще одно слово еще одному охраннику... В общем, головоломка. Пройти по коридору, найти еще одну дверь и набрать еще один код. Наконец мы вошли и сразу попали в объятия шумного рослого мужчины, демонстрировавшего бурную радость от нашего прихода. Такой прием меня насторожил. Пусть у меня не такой уж большой жизненный опыт, всего-то тридцать семь прожитых лет, но и его хватало на то, чтобы вспомнить: когда тебя с таким энтузиазмом встречают, тебе, скорее всего, уже заранее собрались отказать, а показным радушием маскируют принятое решение, дескать, мы тебя так любим, так любим, а если уж отказываем, так не потому, что плохо к тебе относимся, а потому, что дело не в нашей компетенции, или не по нашему профилю, или нам не по зубам.

Нас тут же провели в уютный маленький кабинетик, усадили в когда-то мягкие, а ныне сильно помятые тяжелой жизнью посетителей креслица, предложили чаю и кофе. Никотин попросил кофе покрепче, я от угощения отказалась, потому что внутренне уже была готова либо к отказу, либо к заламыванию столь непомерной цены, что какой уж тут чай-кофе, тут валокордин впору принимать.

— Как жизнь, дядя Назар? — бушевал в своем откровенном благодушии хозяин кабинета. — Как же я обрадовался, когда вы мне позвонили! Сто лет вас не видел!

— Таки что тебе мешало? — неожиданно произнес Никотин как-то очень по-одесски. — Или я на другой планете живу? Давай-ка знакомься с клиентом, Сева. Не будем терять время.

— Всеволод Огородников, — привстал здоровяк, протягивая мне мощную длань. — Глава агентства, директор, можно сказать.

Я пожала руку и пробормотала:

— Вероника Кадырова.

Подумала немного и добавила:

— Женщина при маленьких деньгах и больших проблемах.

Вот так, пусть все будет ясно с самого начала. Если его отпугнут мои маленькие деньги, то это будет видно сразу, и можно будет обратиться в другое агентство, не теряя времени.

Всеволод оглушительно расхохотался:

— Маленькие деньги, большие проблемы плюс хорошая реакция плюс чувство юмора. Вполне высококачественный коктейль. Мы с вами поладим.

— Вы уверены? — осторожно спросила я.

— С ним можно ладить, — кивнул Никотин. — Не надо только плевать ему в кашу. Это мудрый совет старика Бабеля. Приступай, Севочка, время не ждет.

Всеволод как-то вдруг посерьезнел и приобрел вид деловой и неприступный.

— Дядя Назар в двух словах обрисовал мне вашу проблему, — обратился он ко мне. — Я так понимаю, ваша хозяйка — дизайнер-архитектор, занимается строительством и ремонтом? И времени у вас на все про все — дня три-четыре, не больше.

— Совершенно верно.

Он нажал какую-то кнопку и проговорил в микрофон:

— Леша, зайди ко мне.

Через минуту в кабинете появился совсем молодой парнишка лет, наверное, двадцати двух — двадцати трех.

— Леша, у нас объект — дизайнер-архитектор. Чем можешь помочь?

— Чем могу — помогу, — загадочно ответил юный Леша и потянулся к телефону. — Имя мне напиши.

Всеволод вопросительно посмотрел на меня.

236

— Сальникова Наталья Сергеевна.

А Леша уже быстро шнырял пальцами по кнопкам телефонного аппарата.

— Але, пап? Здорово. Нет, все в порядке... Да не трогал я твой мобильник, он еще со вчерашнего вечера на заряднике стоит... Ну да, на кухне... Нашел? Вот и ладно, а то чуть что, так сразу я виноват. Слушай, а мать дома?.. Понял. Я ей на мобильник звякну. Нет, ничего не случилось, просто нужна ее консультация. Ага, пап, пока, до вечера.

Он снова принялся набирать номер.

— У нашего Лешки матушка тоже дизайнер, они там все в одной профессиональной толпе тусуются, — вполголоса сообщил нам с Никотином Сева.

— Але, мам? Привет. Ты можешь говорить?.. Ну, минут на десять... Ага. Слушай, у нас тут клиентка одна, она загородный дом строит, ей порекомендовали дизайнера, но она хочет предварительно собрать сведения, а то сама знаешь... Да ну их, этих богатых, у них свои примочки. Боится, что ее обманут, обсчитают, обшарлатанят и все такое... Ага... Сейчас... Сальникова Наталья Сергеевна. Знаешь, да? Класс! Мам, ты мне можешь назвать буквально по три фамилии тех, кто может ее охарактеризовать хорошо, и тех, кто может о ней рассказать что-нибудь негативное? Нет, больше не нужно, по три свидетеля с каждой стороны — вполне достаточно для грамотного судьи. Шучу. Если будет нужно, я потом еще тебя спрошу, а пока мне и по три человека хватит. Ага... Ага... И телефончики их, если можно...

Леша нагнулся над столом и быстро записывал фамилии. Сердце у меня забилось от предчувствия удачи. Вот ведь до чего все, оказывается, просто! Сейчас Лешина мама назовет имена самых яростных недоброжелателей Мадам, и найти шантажиста среди этих троих — дело одного дня. Ну сколько может стоить один день работы частного детектива? От такой суммы я точно не разорюсь. Может, даже украшения продавать не придется.

Леша положил трубку и выпрямился.

— Вот список людей, которые могут дать общую характеристику объекта. Что-нибудь еще, Всеволод Андреевич?

— Пока можешь идти, но далеко не уходи, я тебя позову. Если мы с клиентом, — Сева бросил на меня быстрый взгляд, — договоримся и подпишем контракт, ты будешь заниматься этим делом.

Такой молоденький! Да что он умеет-то?! Только дело все испортит. Я-то, дурочка наивная, думала, моими проблемами будут заниматься самые лучшие сыщики из числа учеников Никотина... А меня отфутболили к какому-то молокососу.

Дождавшись, когда Леша покинет помещение, Всеволод взял в руки список, быстро пробежал глазами.

— Вот, значит, какой у нас получается расклад, уважаемая девушка Вероника, — неторопливо заговорил он. — В этом списке люди, которые знают вашу хозяйку. Но крайне маловероятно, что тот, кого мы ищем, находится среди них. Такие удачи случаются, но исключительно редко. С каждым из этих людей нужно поговорить, прощупать их, получить от них еще какие-нибудь имена и конкретные истории про Наталью Сергеевну. Потом вычленить наиболее вероятных ее врагов и пустить за ними наружку. Вы, надеюсь, понимаете, что сам шантажист, то есть тот, кто вам звонил, не входит в число ее знакомых, но действует он по наводке. Таким образом, мы сначала вычисляем нескольких предполагаемых наводчиков, или, если хотите, инициаторов шантажа, его организаторов, а потом при помощи наружного наблюдения устанавливаем их связи. Из этих связей отбираем самые подходящие, то есть наиболее подозрительные, и работаем уже конкретно с ними. Было бы идеально, если бы нам удалось все сделать настолько оперативно, что к пятнице у нас осталось бы всего три-четыре подозреваемых. Тогда нам останется только проследить, кто из этих четверых будет звонить вам в двенадцать часов. На этом закончится первый этап и начнется второй.

— Какой? — ошеломлённо спросила я.

Все мои надежды рушились. Я-то думала, что будет легко и просто, а это ж какая прорва работы предстоит! Мне за всю жизнь столько не заработать, чтобы расплатиться.

— С шантажистом нужно будет поработать, чтобы он больше не поступал так некрасиво. И с тем, кто его нанял или в долю взял, — тоже.

— И это тоже стоит денег, — безнадёжно добавила я.

— Ну это само собой. Все стоит денег.

— Сколько? — спросила я, собираясь с духом, чтобы услышать свой приговор.

— Один час работы наружки стоит пятьдесят долларов.

Я зажмурилась, пытаясь быстренько прикинуть, на сколько часов работы хватит моих денег.

— Установить данные о человеке, то есть кто он, где живёт, чем занимается, его паспортные данные, — четыреста пятьдесят долларов, — безжалостно продолжал Всеволод Андреевич. — Сделать так, чтобы он больше не пакостил, — полторы тысячи. Плюс собственно работа по установлению круга отрабатываемых, то есть беседы с людьми, обладающими нужной информацией. Здесь могут быть скидки, поскольку эту работу мы делаем сами, в частности, Лёша. А всю остальную работу делают профессиональные сотрудники милиции, с которыми у нас контракт, и на их услуги существуют твердые тарифы, там никакие скидки не предусмотрены. Вот и давайте подсчитаем, что у нас выходит.

— Не надо, — грустно сказала я. — Не надо ничего считать. У меня нет таких денег.

Я сделала движение, чтобы встать и покончить с этим мероприятием. Но Никотин ухватил меня за руку и усадил на место.

— Погоди, Ника. Я ведь Севе рассказал только общую картину, деталей он не знает. Давай-ка ты расскажи нам все с самого начала и подробно, мне кажется, там была одна интересная зацепка.

Я добросовестно принялась излагать историю вчерашнего звонка неизвестного человека, думавшего, что он разговаривает с Мадам.

— Ты понял, Сева? — Никотин поднял желтоватый палец.

— Нет, — честно признался Огородников. — Я чего-то пропустил, дядя Назар?

— Сколько денег требовал шантажист?

— Десять тысяч долларов. — Сева неуверенно посмотрел на меня, будто на экзамене в ожидании подсказки, и я одобрительно кивнула, мол, все правильно.

— И чем он мотивировал именно эту сумму? — продолжал экзаменовать его Назар Захарович.

— Тем, что Сальникова именно столько получила за два последних заказа, — уже почти бодро отрапортовал Сева.

— А почему за два последних, а не за три, не за пять, не за десять?

— Ну... — Сева помаялся секунд десять и вдруг улыбнулся. — Ну вы и жук, дядя Назар! Неужели все так просто?

— Не знаю, — покачал головой Никотин. — Может, просто, а может, и сложно. Но эту идею надо отработать в первую очередь, это может существенно сэкономить время, а стало быть, и деньги нашей Вероники. Севочка, положение у Вероники очень серьезное, если она не разрулит ситуацию с шантажом, то может потерять работу и крышу над головой. Она готова платить собственные деньги, чтобы не допустить семейного скандала, но этих денег у нее не так много. Не спрашивай сколько, просто скажи, хотя бы ориентировочно, во сколько это может вылиться по минимуму и по максимуму.

— Про максимум говорить пока не будем, дядя Назар, это не прогнозируется. А по минимуму... Ну, допустим, Лешка поработает бесплатно, я его уговорю, тем более там все несложно, в рамках уже существующей легенды он говорит, что его клиент, прежде чем связываться с Сальниковой, хотел бы посмотреть два-три ее последних объекта, чтобы оценить ее уровень и вкус. При этом клиент хотел бы, чтобы сама Сальникова не знала, что ее проверяют, потому что... Ну, неважно почему, у богатых свои причуды. То есть двух последних заказчиков Натальи Сергеевны мы устанавливаем легко и просто. Дальше начинаются финансовые затраты. Наружка за обоими и их супругами, если таковые имеются, то есть за четырьмя объектами, на протяжении... ну, скажем, десяти-двенадцати часов, то есть весь завтрашний день. Две тысячи четыреста. Если повезет, появятся два-три фигуранта — претенденты на роль собственно шантажиста. Можно не устанавливать их личности, а организовать в пятницу наружку за каждым из них на момент звонка вам. Это еще двести. Плюс процесс разъяснения неприемлемости подобного поведения. Если вы, дядя Назар, правы, то у нас получается два человека или даже три, это либо три тысячи, либо четыре с половиной. Теперь еще один тонкий момент: если мы пойдем по пути контроля поведения фигурантов на момент двенадцати часов в пятницу, то нужна будет дорогая аппаратура, это тоже стоит денег. Глупо рассчитывать, что все они в интересующий нас момент будут находиться в общественных местах и звонить из автоматов или с мобильников, и к ним можно будет подойти вплотную и все услышать. Они могут находиться где угодно, в том числе и у себя дома или дома у инициатора шантажа. И в этом случае без аппаратуры не обойтись. Вероника, у вашего телефона нет определителя номера?

— Нет.

— Тогда ставить бесполезно, подключение определителя сразу услышат, и шантажист забеспокоится раньше времени. И потом, на всякий наш хитрый определитель у него найдется не менее хитрый антиопределитель. Так что нужна будет аппаратура.

Я лихорадочно подсчитывала. Нижняя граница у меня получилась на уровне пяти тысяч шестисот долларов. Без аппаратуры. Отдать все, что накопила, и продать все, что есть. На верхнюю границу мне не хватит ни при каких условиях. Черт возьми, я даже не предполагала, что работа частных детективов стоит так дорого! Впрочем, если верить Севе, то так дорого стоит работа не частных детективов, а ассоциированных с ними милиционеров.

— Можно на чем-нибудь сэкономить? — спросила я, не желая мириться с мыслью о том, что все потеряно.

— Если повезет, — кивнул Сева. — Например, поведение первоначальных объектов даст нам нужную информацию уже в первые же два часа работы наружки, тогда мы ее снимаем. Или первоначальных объектов окажется не четверо, а всего двое. Или даже один, так тоже может быть. Тогда это выйдет не две тысячи четыреста, а долларов, например, шестьсот, или, может, триста. Это как повезет. Здесь никаких гарантий дать нельзя, все может выйти и с точностью до наоборот, если первый день плотного наблюдения ничего не даст, придется работать еще и в четверг.

Ужас. Полный, можно сказать, обвал. Надо же, как интересно устроен человек! Еще только вчера вечером я мучительно принимала такое тяжелое для себя решение пожертвовать частью своих денег, чтобы не рисковать здоровьем Старого Хозяина и не потерять работу, а уже сегодня я готова отдать не часть, а вообще все, и прихожу в отчаяние от того, что мне не хватает. Эдакая интеллектуальная лабильность. А где же мой ангел-хранитель, который вчера помогал мне изо всех сил? У него смена — сутки, потом он отдыхает несколько месяцев от трудов праведных. Успеешь в сутки уложиться со своими бедами и проблемами — твое счастье, не успеешь — твое несчастье.

— Так что вы мне скажете, Вероника? Мы подписываем контракт и начинаем работать? Или вы отказываетесь?

— Я не отказываюсь, просто у меня нет таких денег. Скажите, а вот эти... объяснения о неприемлемости поведения... их обязательно давать всем? Вы сказали, три человека.

— Может быть, двое. Может быть, только один. Это будет видно по ситуации. И потом, разъяснения бывают разные, есть и подешевле, я вам назвал самый дорогой способ.

— А подешевле — это как? — заинтересовалась я.

— Можно не перекрывать кислород, а просто нанести физические травмы, которые человек будет долго залечивать. Это стоит пятьсот долларов.

— Нет, — испугалась я, — грех на душу не возьму. А что входит в самое дорогое разъяснение?

— За полторы тысячи долларов человека ставят в такое положение, при котором он почитает за счастье уехать из Москвы и никогда больше здесь не появляться, в противном случае ему грозят большие неприятности.

— Но мне так тоже не нужно, пусть они остаются в Москве, только пусть Наталью не трогают. Неужели нет никакого промежуточного варианта?

— Да есть, есть, — тихонько проговорил Никотин. — Ну что ты, Сева, девушку мне пугаешь прямо до полусмерти?

— Ну, дядя Назар, я должен обозначить максимальные расходы, чтобы клиент потом не говорил, что я его обманул и ввел в незапланированные траты. — Сева развел руками. — А если на деле выходит дешевле, так клиент только рад и благодарен, и потом рекомендует нас своим знакомым. Тактика.

— Тактика, — передразнил его Назар Захарович, пошевелив глубокими мимическими мор-

246

щинами на лице. — Ты мне своей тактикой Нику до обморока доведешь. Значит, так, дорогие мои. Ника, какой суммой ты готова рискнуть без гарантии нужного результата? Я понимаю, что если гарантировать результат, то ты отдашь все, что у тебя есть. Ну а без гарантии? Можешь выбросить деньги в форточку?

Могу ли я? Наверное, могу. Никогда не пробовала... Хотя нет, вру. Пробовала. Сколько денег мы с Олегом выкинули в эту самую форточку? Господи, ведь он столько зарабатывал, и куда мы девали все эти деньги? Где они? Вот именно. Там они, за форточкой. В ресторанах, боулингах, ночных клубах, в поездках на машинах, в его и моих тряпках, в роскошных букетах, которые он дарил мне еженедельно, и дорогих подарках, которые мы дарили друзьям и родственникам к праздникам и дням рождения. Так что выбрасывать деньги мне не впервой.

— Две с половиной тысячи долларов, — произнесла я одеревеневшими губами.

Почему я назвала эту сумму? Не знаю. Она как-то сама назвалась. Не две тысячи, не три, а именно две с половиной.

— Сева, ты подписываешь с Вероникой контракт, формулировки сам придумай, и работаешь в пределах обозначенной суммы. Когда затраты доходят до двух с половиной тысяч, мы собираемся здесь снова и решаем, что делаем дальше. Либо продолжаем работу, потому что осталось совсем чуть-чуть, либо прекращаем, потому что в имеющиеся у Вероники деньги ты никак не укладываешься.

— Годится, дядя Назар, — согласился Огородников.

Через полчаса мы с Никотином покинули Кощеево гнездо. Вместо фотографий, присланных шантажистом и оставленных в агентстве у Севы, в моей сумочке лежал контракт.

— Ты торопишься? — спросил меня Назар Захарович. — Нам с тобой надо бы поговорить, обсудить кое-что.

Я посмотрела на часы. Без десяти шесть. Через час нужно кормить ужином Старого Хозяина. Правда, у меня все готово, остается только разогреть и подать, но неизвестно, как на такие вольности посмотрит Мадам. Она уже и без того обед сама грела и подавала.

— Мне нужно позвонить.

— Звони, — он протянул мне мобильник.

Опасения мои подтвердились, но не полностью. Наталья, само собой, не пришла в восторг от того, что мне нужно задержаться, но, когда я наплела что-то насчет своей больной головы, внутри которой образовалось какое-то невероятное давление, и мне нужно ставить капельницу, а потом меня посмотрит профессор, и ко всему этому я присовокупила неизвестные ей и пугающе звучащие слова про периферическую вазоконстрикцию и гиперволемию, Мадам сразу же заголосила:

— Конечно, Ника, лечитесь, лечитесь, сколько нужно, главное, чтобы вы не разболелись всерьез. А вас в больницу не положат?

Ах вот, оказывается, чего мы боимся!

— Нет-нет, никакой больницы, я сразу предупредила, что это невозможно, поэтому меня и будут лечить амбулаторно. Только это, может быть, займет несколько дней, и мне придется отлучаться.

— Ой, да ради бога, Ника, о чем речь? Я все равно сейчас без работы, так что посижу с дедушкой, а вы лечитесь.

Врать нехорошо. Но иногда приходится. Оставив Наталье все руководящие указания по питанию и тщательно объяснив, где какая мисочка и что в какой кастрюльке, я вернула мобильник хозяину.

— Я готова разговаривать.

— Экая ты быстрая, — усмехнулся Никотин. — Такие разговоры на ходу не ведутся. Пойдем куда-нибудь, посидим, поедим, мы же с тобой оба без обеда сегодня остались. И поговорим.

Предложение мне понравилось по сути, но напрягло по финансовой стороне. И я решила быть прямой, как черенок от швабры.

— Дядя Назар, я не могу тратиться на общепит, у меня весь бюджет до копейки расписан.

— Да брось, Ника, я же тебя приглашаю. Я, конечно, тоже не миллионер, но на обед с блондинкой денег хватит.

НА СОСЕДНЕЙ УЛИЦЕ

— Мне теперь придется долго разбираться с собой. Не понимаю, что на меня нашло, зачем я это сделала.

Игорь лениво повернулся к лежащей рядом женщине. Ну и ничего особенного, зря он боялся. Конечно, времени на нее потрачено ого-го сколько, ни на одну свою даму он не тратил четыре месяца, чтобы уложить в постель. Но дело того стоило. Вернее — Дело. И вовсе не так страшно заниматься любовью с теткой, которой за пятьдесят, разницы практически никакой, что пятьдесят, что двадцать пять, все устроены одинаково. Другое дело, что он ее и не хотел вовсе, и потому боялся, что получится плохо или даже совсем не получится. Но — получилось. Все-таки здоровье у него могучее, да и на сексуальную самооценку зловредная тетя Аня повлиять не смогла. И пусть Игорь долгие годы прожил в убеждении, что он некрасивый, никудышный, глупый и никому не нужный, но уж в том, что он далеко не импотент, он никогда не сомневался. Уговорил себя, настроился. И мысль о выполненном Деле будоражила, поднимала тонус.

— Ну что ты, — он подумал, что надо, пожалуй, быть ласковым, и погладил Ольгу Петровну по волосам, — не надо так говорить. Ты сделала то, что хотела, и не надо теперь себя корить. Мы же с тобой оба этого хотели, разве нет?

Она вздохнула и отвернулась.

— Я не имею права спать с мужчиной моложе себя на двадцать лет. И тем более не имею права этого хотеть.

— Почему? — он прикинулся непонимающим, хотя, конечно же, все отлично понимал.

— Потому что это неприлично. Потому что я бабушка, у меня внучка растет. И еще потому, что я учитель, и ты по возрасту годишься мне в ученики. Понимаешь, Игорь? Ты мог бы быть моим учеником, ведь когда тебе было десять лет, мне было уже тридцать и я к тому времени работала в школе восемь лет. Ты еще в ясли ходил, а я уже была учителем.

Конечно, была. И тем более была, когда ему было пятнадцать. Когда он был влюблен в нее без памяти. До одури, до темноты в глазах, до непристойных мыслей и ужасных снов. И ведь она об этом знала. Вот чего Игорь Савенков не мог простить Ольге Петровне — она знала и не приняла всерьез, более того, позволила вынести эту оглушающую любовь на всеобщее осмеяние. Не заступилась за своего ученика, не защитила его. Он до сих пор с трудом верил в то, что она его не помнит. Но ведь действительно не помнит, за четыре месяца Игорь смог в этом убедиться.

Игорь подавил в себе острое желание сказать ей все сейчас, именно сейчас, и покончить с этой частью Дела. Нет, рано, пока рано. Что такое один постельный эпизод? Тем более Ольга в нем раскаивается. Нужно подождать, пока она увязнет в их отношениях, увязнет окончательно, нужно дождаться, чтобы она просила его о встречах и умоляла о ласках, вот тогда он ей все скажет, и Дело можно будет считать завершенным.

Он не мстил, Игорь вообще не был мстительным. Он лишь расставлял все на те места, на коих всему этому надлежало находиться. Он возвращал вещи, мысли и события на круги своя. Тетя Аня убила в нем любовь и уважение к самому себе — он вернул эти чувства ценой упорного, ежедневного, многомесячного труда. Он работал над собой, над своим самосознанием, над самооценкой, над поведением, он прочел великое множество умных книг и почерпнул в них дельные советы, которые успешно воплотил в жизнь. Теперь его чувства, изгнанные тетей Аней и запертые в пыльную темную кладовку, извлечены на свет божий, отмыты, отчищены, причесаны, аккуратно одеты и водворены на место, на почетное место в его душе.

Тетя Аня, воспитывая племянника, почти не пользовалась пряниками и орудовала в основном кнутами в виде запретов. Игорю запрещалось все, и не только то, что родители всегда запрещают своим детям, то есть курить, воровать, нецензурно выражаться, посещать школу с невыученными уроками и так далее, но и то, что большинству детей все-таки разрешают. Приводить домой друзей. Смотреть допоздна телевизор. Читать взрослые книжки. Ходить в кино не только в выходные дни и во время каникул, но и по будням. Носить хорошие вещи. Впрочем, хороших вещей у него не было, тетушка не была к Игорю щедрой и одевала его по минимуму, тратя неслыханные суммы исключительно на себя и свою дочь. Помимо всего прочего, Игорю запрещалось лезть к тете Ане с разговорами и задавать несанкционированные вопросы, высказывать свое мнение и говорить «я хочу». Слова «я хочу» или «мне нужно» были ядовитыми химикатами вытравлены из его подросткового лексикона и заменены вежливо-просительными формами:

— Как вы думаете, тетя Аня, можно мне съесть кусочек торта?

— Говорят, это очень интересный фильм. Как вы думаете, тетя Аня, мне имеет смысл сходить в кино и посмотреть его?

— Витя пригласил весь класс к себе домой, праздновать день рождения. Как вы думаете, может, мне тоже пойти? А как вы думаете, удобно пойти без подарка?

Тетя Аня была, безусловно, мастером педагогики. В правильности ее целей можно сомневаться до бесконечности, но достигала она их с высочайшей степенью эффективности.

Ну что ж, теперь Игорь Савенков не позволяет никому управлять собой. Никто не может что бы то ни было ему запретить. Права такого ни у кого нет. Он сам решает, что ему делать, что говорить и как жить. Разумеется, Уголовный кодекс он чтил. Есть запреты, вполне разумные, которые признаны всем человеческим сообществом, и есть вещи, которые нельзя делать никому и нигде. Нельзя воровать и вообще брать чужое в любой форме, нельзя убивать, нельзя насиловать, нельзя уклоняться от уплаты налогов. Это справедливо, и такие запреты Игорь уважал и не тяготился ими. Все, что человеку делать нельзя, перечислено в кодексе, а все остальное он может делать, если считает нужным, и никто, ни один человек на свете не имеет права ему это запретить. Никому не дано право руководить им и управлять.

— Иди в душ, — раздался у него над ухом тихий голос Ольги Петровны.

— Иди ты первая, — он постарался улыбнуться, — я еще поваляться хочу.

— Нет, ты первый, — неожиданно заупрямилась Ольга, и Игорь снова улыбнулся, но на этот раз не принуждая себя, не расчетливо.

Он понял, что его новая любовница стесняется своего немолодого тела и не хочет вылезать

254

из постели у него на глазах. Момент, когда они в эту самую постель укладывались, имел место часа два назад, когда в комнате было значительно светлее, но тогда Ольга об этом как-то не думала... А Игорь не разглядывал ее вполне умышленно: боялся, что складки и обвисшая, потерявшая упругость кожа отпугнут его, убьют мужскую силу.

Нельзя, чтобы ей было некомфортно, иначе она начнет комплексовать и больше не придет, и тогда уже не сможет его бывшая учительница русского языка и литературы Ольга Петровна увязнуть в отношениях со своим бывшим учеником Игорем Савенковым.

Он легко выпрыгнул из-под одеяла и быстро вышел из спальни, прихватив валяющиеся на полу трусы и джинсы. Через минуту вернулся и положил на кровать поверх одеяла длинный махровый халат. Ольга благодарно посмотрела на него и слегка улыбнулась. Хорошо, что она немногословна, подумал Игорь, включая душ. Если бы она ударилась в эту идиотскую болтовню, которой его частенько угощали подружки после первого раза, он бы, наверное, сорвался. Конечно, задуманное так или иначе оказалось бы выполненным, но... Не то удовольствие, совсем не то. Он подождет.

Если бы Игорю Савенкову кто-нибудь сказал сейчас, что задуманное им Дело является всего лишь банальной местью, он бы страшно удивился глупости собеседника. Слово «месть» вообще не приходило ему в голову. Просто он считал, что семнадцать лет назад его необоснованно лишили права на любовь этой женщины и на близость с ней. Право должно быть восстановлено, только и всего.

Все вещи должны стоять на своих местах. А если их оттуда забрали или передвинули, их надлежит вернуть. Все очень просто, логично и правильно.

НИКА

Мы сидели в маленьком уютном кафе и ждали, когда официант принесет заказанные нами салаты, пирожные и кофе.

— Ну что, Ника, ужасаешься, небось не можешь понять, во что я тебя втравил? — с усмешкой произнес Назар Захарович. — Я ведь не зря сказал, что нам нужно кое-что обсудить. Вижу, у тебя много вопросов, а в таком деле, как у нас с тобой, недомолвки только мешают. Когда есть недомолвки, тогда нет полного доверия.

— Вы ни во что меня не втравливали, дядя Назар, — угрюмо ответила я, не глядя на него. — Я сама принимала решение и сама ввязалась.

— Жалеешь?

— Нет. Даже если ничего не получится, жалеть все равно не буду. Мне нужно знать, что я сделала все, от меня зависящее, тогда я буду сама перед собой спокойна.

— Хорошее выражение. — Никотин одобрительно кивнул головой и вытащил из квадратной пачки очередную папиросу. И это при том, что мы сели за столик минут пятнадцать назад, а в пепельнице лежали уже два окурка. Не бережет себя дядя Никотин! — Спокойна сама перед собой... Надо взять на вооружение. Ну валяй, спрашивай, а то у тебя вопросы скоро из ушей полезут. А потом и я кое о чем тебя спрошу. Откровенность за откровенность.

Никотин угадал, меня действительно мучили вопросы, и мне ужасно хотелось их задать.

— Когда вы вели меня к Севе, вы уже знали, что у одного из его сотрудников мать — дизайнер? — начала я.

— А то как же! Времени у тебя мало, всего-то до пятницы, и рисковать было бы глупо. Я шел наверняка.

— А почему же вы вчера вечером не сказали мне, что у вас есть ученик, который почти наверняка справится с моим делом? Темнили? Хотели, чтобы я подольше помучилась?

— Ни боже мой! Вчера, дорогая моя Ника, я вернулся домой и начал обзванивать своих знакомых, почву прощупывал. В двух словах описывал ситуацию и спрашивал, есть ли возможность помочь. Вот когда дело до Севки Огородникова дошло, он и сказал мне, что можно попытаться, потому что у него есть на побегушках мальчик Леша, а у мальчика Леши есть мама, вращающаяся в интересующих нас сферах.

— Но ведь вчера вечером я еще не давала согласия обратиться к частному детективу.

— Ну и что? Если бы я ждал, когда ты позвонишь, мы бы и сейчас еще с места не сдвинулись. А так колесо завертелось, мы тут с тобой кофейком наслаждаться еще только собираемся, а человек уже поехал информацию искать.

— А если бы я не позвонила?

— Ну, нет так нет. Лучше сделать что-то напрасно, чем потом кусать локти от досады, что не сделал.

— Но вы же тратили свое время и силы, звонили, искали людей, разговаривали с ними... И все могло бы оказаться впустую. Неужели вам не было бы обидно?

— Ни капельки. — Никотин пожал плечами, словно вообще не понимал, о чем это я ему толкую. — Я предложил помощь, ты от нее отказалась. Самая обычная вещь, на каждом шагу происходит. Что тут обидного?

Мне стало чуть-чуть легче. На свой первый вопрос я ответ получила, а то у меня было такое противное чувство, что кто-то за меня все решил и всем распорядился. Или что на меня хотят произвести впечатление и достают кроликов из шляпы. Дескать, пошли наугад, а вышли куда надо. Вот какие мы ловкие и удачливые Сусанины! Но Назар Захарович не стал строить из себя волшебника, а рассказал все честно. Спасибо ему за это.

Теперь можно и второй вопрос задать.

— А что вы с Севой имели в виду, когда он сказал, что вы — жук?

— Кто жук? Я?! — возмутился Никотин. — Когда это он такое сказал?

— Когда вы предложили ему подумать, почему шантажист назвал сумму в десять тысяч. Он подумал, а потом рассмеялся и сказал: «Ну вы и жук, дядя Назар». Забыли?

— Теперь припомнил. — Он звонко задребезжал своим особенным смехом и одним сильным движением затушил окурок в пепельнице. — А ты сама-то сообразить не можешь?

Мне показалось, он хочет уличить меня в тупости, как на экзамене, и мне это не понравилось.

— Я не сыщик, я врач, — сухо ответила я. — Не надо меня проверять на вшивость, Назар Захарович, а то я ведь могу начать спрашивать у вас, чем отличается первичное пролабирование митрального клапана от вторичного, и буду сильно удивляться, что вы не знаете таких простых вещей.

— О-о-о, уже обиделась! Назаром Захаровичем называет, слова какие-то страшные произносит... Ты, Ника, на меня не обижайся, на меня нельзя обижаться.

— Почему это? — Я так удивилась, что и вправду забыла о своей обиде.

— Потому что я мужчина одинокий, свободный и в полном расцвете сил. А вдруг я на тебе жениться захочу?

— Вы?!

Хорошо, что официант еще не принес кофе, иначе быть бы ему разлитым по всему столу и по моим обтянутым брюками коленкам. Мог бы даже ожог случиться... А так все дело ограничилось упавшим пластиковым стаканчиком с бумажными салфетками.

— А что это ты так бурно реагируешь? — Глубокие мимические морщины на лице Никотина задвигались, будто хотели переместиться на другое место. — Тебе такая мысль кажется невероятной?

— Ну... в общем, да, — призналась я, не зная, смеяться мне, удивляться или сердиться.

— И почему же, позволь-ка спросить?

Он снова вытащил папиросу и принялся мерно постукивать ею по льняной салфетке, которой был накрыт стол.

— Но... вы ведь меня совсем не знаете... — залепетала я беспомощно, потому что ничего умного в голову не приходило, а говорить правду не хотелось. Да и что это за правда? Одно сплошное оскорбление. Мол, вы старый, некрасивый, небогатый и невыдающийся и если и можете рассчитывать на ком-то жениться, так только на пенсионерке. Мне самой стало противно от этой мерзкой мысли, но никаких других мыслей у меня в тот момент не было, все куда-то разбежались и попрятались.

— Дорогая моя Ника, блондинку не нужно знать, чтобы принять решение на ней жениться. Блондинку нужно видеть, чувствовать, обонять, осязать и на основе этих ощущений приходить к выводу, хочешь ли ты, чтобы она стала тебе близкой и родной, или не хочешь. Вот и вся премудрость. Так что знать тебя мне совсем не обязательно.

— А что, с брюнетками не так? — заинтересовалась я. — Или с шатенками? Там какая-то другая технология?

— Абсолютно, — не задумываясь ответил Никотин. — Но это к делу не относится, поскольку ты есть самая натуральная блондинка и обсуждать мы будем тебя, а не каких-то там мифических шатенок или брюнеток. Тебя, дорогая моя, смущает, что я называю тебя на «ты», а ты меня — на «вы» и дядей Назаром, поэтому ты и не можешь представить меня в роли твоего мужа. А зря. У тебя глаза зашорены, если «дядя» — так непременно родственник и существенно старше тебя, а это исключает какие бы то ни было неплатонические поползновения.

Я забыла вовремя отвести глаза и натолкнулась прямо на его взгляд. Взгляд, существующий словно бы отдельно от него самого. Глаза, украденные у голливудской суперзвезды. Рутгер Хауэр — вот у кого точно такие же яркие светлые глаза и такой же взгляд. Жесткий, холодный, знающий себе цену и осознающий свою силу, уверенный в собственной правоте и удачливости, но видящий при этом собеседника насквозь, а ситуацию — на тридцать три шага вперед, и потому если и рискующий, то очень разумно и взвешенно, мужчина, не ведавший отказа у женщин и не просивший милости у победившего врага. Господи, неужели Никотин на самом деле именно такой? Говорят же, что внешность обманчива, а вот глаза не лгут.

И тут я вспомнила! Я вспомнила, что в переводе означает имя Назар. Взгляд. Назар — взгляд, Захар — яд. Ядовитый взгляд. Взгляд, который может убить. А ведь и вправду может.

Я сидела как загипнотизированная и даже не заметила, как официант принес и расставил на столе заказ. Из оцепенения меня вывело ставшее уже знакомым негромкое дребезжание, на этот раз не звонкое, а приглушенное.

— Ника, очнись, не принимай мои шутки так серьезно. Сегодня нам еще рано говорить о женитьбе, у нас пока на повестке дня твой шантажист.

— Да, — рассеянно проблеяла я, приходя в себя, — шантажист. Так до чего вы с Севой додумались, чего я не понимаю?

— Сейчас объясню. Вот представь себе, что

ты решила сделать ремонт, перепланировать квартиру и все такое. Где ты будешь искать дизайнера-архитектора?

— Сначала повспоминаю своих знакомых, не делал ли кто из них недавно ремонт, и спрошу у них, — быстро ответила я.

— Правильно. Ты такого знакомого нашла, у них только что закончился ремонт или даже еще не закончился, идет вовсю, но скоро завершится, она или он тебе рассказали, как у них все происходит. А ты, вполне естественно, спрашиваешь, сколько этот дизайнер берет за свою работу. И тебе отвечают, что с них, к примеру, он взял шесть тысяч, потому что расценки у этого человека — по сто долларов за квадратный метр площади, если с авторским сопровождением, и по пятьдесят долларов — без сопровождения, только проект. И если тебя такой дизайнер устроит и ты воспользуешься его услугами, то будешь совершенно точно знать, сколько он получил именно за два последних заказа. Одну сумму тебе уже назвали, другую ты сама заплатила.

— Вы хотите сказать, что шантажист — последний заказчик Натальи? — ошеломленно спросила я, не веря своим ушам.

— А почему нет? — вполне резонно ответил вопросом же на мой вопрос Никотин. — Что тебя в этом не устраивает?

— Ну... Я как-то думала всегда, что шантажисты — уголовники, а у Натальи заказчики —

люди состоятельные, ведь ремонт с переплани-ровкой стоит очень дорого...

— Ника, Ника, — с укором вздохнул Назар Захарович, — такая ты у меня молодая, а уже с такими закосневшими взглядами. У тебя пред-ставления о преступниках как у столетней бабки.

Нет, как вам это понравится? Я, видите ли, у него молодая! Впрочем, стоп! Не зарывайся, Ка-дырова, вспомни его взгляд и не забывай, что внешность обманчива.

— Чем вам мои представления не нравят-ся? — спросила я без малейшей обиды и ткнула вилкой в салат, выполненный из чего-то непо-нятного, но выглядящий вполне презентабельно.

— Устаревшие они, да и не жизненные вооб-ще-то, а исключительно из литературы совет-ского периода почерпнутые. Во-первых, по на-шей грешной земле ходит огромное количество отпетых уголовников, у которых денег столько, что они эти ремонты с перепланировками могут делать хоть по два раза каждый год. А во-вто-рых, дорогая моя Вероника Амировна, состоя-тельные люди — все равно те же самые человеки с точно такими же общечеловеческими слабо-стями, как и все прочие люди. Им ровно в такой же степени, как и всем остальным, свойственны ревность, зависть, глупость и жадность. Ну-ка возрази мне, — предложил он.

— Не буду. Аргументов нет, — честно отве-тила я. — Вы думаете, последний заказчик Натальи сделал ремонт, а потом решил вернуть свои деньги, потраченные на дизайнера? Жлобство заело?

— Угу, — кивнул Никотин, энергично пережевывая не опознанные мною визуально продукты, из которых был сооружен его салат. — И заметь себе, не только свои, но и деньги предыдущего заказчика.

— Вы хотите сказать, что они действуют вдвоем? — Я поразилась собственной догадливости и дождалась наконец похвалы, а не критики.

— Молодец. Они действуют вдвоем и пытаются вернуть свои денежки. Но могут быть и варианты. Например, вымогает деньги у твоей Натальи только один из них, а второй об этом ничего не знает и в деле не участвует.

— То есть он хочет вернуть собственные деньги, а деньгами своего знакомого еще и нажиться?

— Вполне возможно. Но в любом случае, если наша с Севой догадка верна, твоих денег хватит, даже с избытком, если повезет.

Я так обрадовалась, что начала мести с тарелки салат с утроенной скоростью. Вероятно, я все-таки здорово проголодалась. После проведенной в переживаниях и слезах ночи я ничего не смогла съесть на завтрак, только чаю выпила, и теперь организм настойчиво напоминал мне, что у меня, кроме души, есть еще и тело.

Но Никотин, похоже, был неплохим знатоком женской психофизиологии, потому что темпы поедания мною салата были им истолкованы правильно.

— Ты раньше времени не радуйся, — окатил он меня холодным душем, вероятно, для улучшения пищеварения, — ведь мы с Севкой могли и ошибиться.

Н-да, если Назар Захарович помрет, то не от чрезмерного употребления никотина, а от скромности. Мы с Севкой... Наша с Севой догадка... А ведь именно Никотин первым до этого додумался, а потом уж Огородникову подсказал. Или это не скромность, а стремление разделить ответственность?

Салат оказался вкусным, но идентифицировать я смогла далеко не все его ингредиенты. Подошла очередь пирожных.

— Дядя Назар, а когда будут известны первые результаты?

— Это как бог пошлет. Может, через час, а может, и завтра к вечеру. У тебя еще есть вопросы?

— Пока нет, — соврала я.

Вопросы были, но их можно было пока и не задавать. Тем паче что далеко не все из них касались моей проблемы с шантажом. Пусть человек спокойно доест и попьет кофе. Однако же Никотин, похоже, решил паузой не пользоваться.

— Тогда спрошу я, теперь моя очередь.

— Спрашивайте.

— Предположим, все закончится благополучно, шантажиста ребята отловят и мозги ему на место поставят. Что ты будешь делать дальше?

— Я? Ничего. А что я должна делать?

— Ну, например, придешь к своей хозяйке и скажешь: так, мол, и так, висела над вами угроза страшная и погибель неминучая, но я ее отвела, так что можете расслабиться и чувствовать себя свободно. И стоило мне это столько-то и столько-то денег, так что возместите мои затраты, будьте любезны.

— Еще чего! — возмущенно откликнулась я. — Зачем я буду ей это говорить?

— А что ты ей скажешь? — Назар Захарович посмотрел на меня хитро и испытующе.

— Ничего не скажу.

— Совсем-совсем ничего?

— Совсем. Я не пойму, а зачем мне ей что-то говорить?

— Чтобы она знала.

— Зачем ей это знать?

— Ну как зачем? Чтобы была благодарна, чтобы понимала, кому она своим благополучием обязана.

— Нет, дядя Назар. — Я покачала головой и отпила кофе, который, в отличие от салата, был плохим и невкусным. — Это не нужно. Это будет неправильно.

— Объясни-ка, — потребовал он, и взгляд

его снова стал чужим, в том смысле, что не никотиновским, а рутгер-хауэровским.

— Понимаете, я ведь делаю это не для Натальи, а для себя. Для себя лично. Чтобы не было скандала, чтобы Николай Григорьевич ничего не узнал, чтобы его сердце не подвело и чтобы я не потеряла работу. А лично на Наталью и ее семейное счастье мне, грубо говоря, наплевать. Я понимаю, это звучит не очень-то красиво, но у меня, знаете ли, ситуация не книжная. Это в книжках и в кино рассказывают истории про домработниц, которые становятся у своих хозяев буквально членами семьи, ангелами-хранителями, поверенными во всех душевных тайнах и вообще живот готовы положить за их благополучие. Может, я эгоистка, не знаю, а может, жизнь устроена совсем не так, как в книжках, но только я у Сальниковых далеко не член семьи, я там — прислуга, и борюсь я не за их счастье, а за собственное выживание.

— Это я понимаю, — неожиданно мягко сказал Никотин, — но все-таки почему ты не хочешь поставить Наталью Сергеевну в известность? Ты ведь приносишь жертву, и немаленькую, для тебя деньги, потраченные на решение проблемы шантажа, — это не копейки, и достаются они тебе не сахарно. Почему ты не хочешь, чтобы Наталья об этом узнала? Может быть, узнав, что ты для нее сделала, она станет лучше к тебе относиться, или зарплату прибавит, или еще как-то отблагодарит тебя. Или хотя бы деньги вернет, которые ты Севке по контракту заплатишь. Я ведь вижу, какая ты сегодня, и понимаю, какую ночь ты провела, пока принимала решение с деньгами расстаться. Ревела?

Я молча кивнула.

— Все правильно. Как говорил Бабель, подкладка тяжелого кошелька сшита из слез. Пока заработаешь себе на квартиру, еще не раз наплачешься. Может, все-таки сказать Наталье?

— Нет, — я снова упрямо помотала головой. — Это будет неправильно. Человек должен иметь право выбирать, к кому он готов испытывать благодарность, а к кому — не готов. Именно поэтому нельзя навязывать людям свою помощь. Ее нужно предложить, но если человек отказывается — не настаивать.

— Что-то я не все понял. — Взгляд Никотина стал настороженным. — Можно поподробнее?

— Можно. Представьте себе, что вам нужны деньги, большие и на длительный срок, и вы прикидываете, у кого можно было бы их занять. Среди ваших знакомых есть, ну, допустим, три человека, которые теоретически могли бы вам одолжить требуемую сумму. Вы думаете о первом: да, этот даст, и без процентов, но за это я должен буду быть ему благодарен, а он такой противный, такой подлый, что испытывать к нему чувство благодарности я не хочу. Возьмем второго: этот тоже даст, и тоже без процентов, и он в общем-то неплохой мужик, и я готов испытывать к нему благодарность, но ведь он в обмен на беспроцентную ссуду начнет обращаться ко мне с просьбами, которые я сам выполнить не смогу, и мне придется, в свою очередь, напрягать других людей, и если они сделают то, что нужно этому кредитору, то я уже должен буду быть благодарным и им тоже... а к этому я не готов. А вот третий, пожалуй, подойдет, он без процентов денег не даст, это я точно знаю, но ведь даст же! Причем сразу и без всяких разговоров, и процент этот будет маленьким, ниже банковского, и меня не обременит. И главное — я знаю наверняка, что он устанавливает процент не для того, чтобы нажиться, а для того, чтобы не испортить отношения с друзьями, чтобы они не чувствовали себя обязанными и не тяготились благодарностью. Так вот благодарность к этому человеку меня отягощать не будет, он мне симпатичен, и я готов эту благодарность к нему испытывать. То есть вы сами решаете, кому вы хотите быть благодарным. Знаете, дядя Назар, я уже давно поняла, что это очень важно — уметь быть благодарным. Благодарность — тяжкий душевный труд, и выполнять этот труд люди готовы далеко не для каждого. Если человека поставить перед необходимостью быть благодарным кому-то, кого он не выбирал сам, это может искалечить отношения вплоть до полного разрыва. Вот почему я говорю, что помощь нельзя навязывать. И нельзя ее оказывать, если тебя об этом не просят.

Некоторое время Никотин молчал, вероятно, обдумывая услышанное. Хотя чего тут обдумывать-то? Мысль казалась мне несложной. Впрочем, я, наверное, плохо ее объяснила, поскольку устное изложение — не мой конек. Я плохой рассказчик, я уже это говорила.

Никотин курил и маленькими глоточками пил невкусный кофе.

— А я всегда думал, что чувство благодарности — это божья благодать, — наконец задумчиво проговорил он. — Испытывать чувство благодарности легко и радостно, оно теплое и сильное, как рука друга. А ты, выходит, полагаешь, что это не так.

— Да нет же, дядя Назар, это так, и вы совершенно правы, но для того, чтобы чувствовать так, как вы сказали, надо быть мудрым и душевно зрелым. А подавляющая часть людей таковыми не являются. Они не умеют быть благодарными, они не умеют любить само чувство благодарности, они воспринимают это как тяжкую обязанность, которую на них взвалили и с которой они не знают что делать. Я вам могу с уверенностью сказать, что моя хозяйка не готова испытывать чувство благодарности к своей прислуге. Ее будет от этого коробить. И отношения наши испортятся настолько, что она будет искать, пусть и подсознательно, повод, чтобы меня уволить и убрать с глаз своих долой.

— Может, ты о ней слишком плохо думаешь? — усомнился Никотин.

Слишком плохо? Я вспомнила один эпизод примерно трехмесячной давности. К Алене приходили две подружки, я подавала им чай с плюшками, а они дружно восхищались Патриком, который из жалкого дрожащего крысеныша превратился в красавца с роскошным меховым воротником, пушистым хвостом и изумрудными глазами. А вечером я нечаянно услышала разговор Алены с Мадам. Я не подслушивала, это вышло случайно, я тихонько возилась на кухне, а они разговаривали в прихожей, не замечая, что я рядом. Наталья только-только вошла, и Алена кинулась к матери рассказывать, как девочкам понравился котик.

— Между прочим, это все благодаря Нике, — мимоходом заметила Наталья, раздеваясь. — Помнишь, как она его выхаживала?

— Ой, ну можно подумать! — фыркнула Алена. — Чего она там особенного-то сделала? Я бы и сама не хуже ее Патрика выходила.

— Но тем не менее выходила его все-таки не ты, а она. Ты ей хоть спасибо сказала?

— Вот еще! За что спасибо-то? Это ее обязанность, мы ей за это деньги платим.

— Не мы, а я и папа, — со смехом поправила ее мать.

Вот и все. На этом разговор и закончился. И ни слова моя Наталья Сергеевна не произнесла ни по поводу моих обязанностей, ни по поводу благодарности. Ее не ужаснуло то, что говорит Алена. Она не сочла нужным осечь ее, поставить на место, что-то объяснить. Алена не хочет быть благодарной прислуге. И от ее матери я ничего другого тоже не жду. Разумеется, дежурное «спасибо» я от Натальи слышу регулярно, но прекрасно отдаю себе отчет в том, что это всего лишь вежливое слово, а не истинное чувство. В противном случае ее разговор с дочерью не закончился бы так, как он закончился. В общем, выводы свои я из этой нечаянно подслушанной беседы сделала... А теперь Никотин спрашивает, не слишком ли плохо я думаю о Наталье.

— Я была бы рада оказаться неправой. Но рисковать я не могу, дядя Назар.

— Ну хорошо, это я понял более или менее. А если у нас ничего не выйдет и деньги окажутся потраченными впустую? Я имею в виду, ничего не получится в рамках той суммы, которую ты обозначила. Будешь жалеть, голову пеплом посыпать?

— Не буду, — улыбнулась я. — Вы же сами сказали, лучше что-то сделать в превентивных целях, пусть и напрасно, чем потом кусать локти от досады, что не сделал.

Похоже, ангел мой и вправду улетел в отпуск, измучила я его вчера, истерзала, изнемог он, бедняжечка, в борьбе со случайностями, которые могли разом подорвать мое относительно спокойное существование. Он сделал все, что мог, а дальше, Кадырова, давай сама.

Первое, что я услышала по возвращении домой, были возмущенные вопли Алены:

— Ника, где мой белый свитер? Я же просила отнести его в химчистку! Мне завтра нечего будет надеть в школу! Ничего нельзя вам поручить, честное слово!

Свитер я в чистку сдала, более того, сегодня утром я успела принести его назад и аккуратно положила в шкаф в Алениной комнате. Интересно, почему она его не нашла?

— Свитер у тебя в шкафу, — ответила я, стараясь не раздражаться.

— Его там нет!

— Ты смотрела? — усомнилась я.

— Да, смотрела!

— Точно?

— Да чего мне смотреть в шкафу, если я помню, что он лежал в прихожей в пакете. А теперь пакета нет.

Логика просто убийственная. Кто там у нас был великим логиком? Все фамилии из головы вылетели. А, вот, вспомнила, Гегель, «Наука логики». А еще были младогегельянцы... Что ж, учитывая нежный возраст Алены, ее вполне можно так именовать, хотя изначально термин обозначал совсем другое.

Свитер в пакете был три дня назад приготовлен для транспортировки в химчистку и действительно лежал в прихожей. Вероятно, Алена полагает, что от пребывания в пакете именно в этом месте он сам собой должен стать белым и чистым, и именно в этом месте она его и заберет, когда понадобится. Нет, непроходимой дурой наша Алена никогда не была. Значит, ищет повод пнуть меня в очередной раз.

Меня подмывало, не говоря ни слова, пройти к ней в комнату, открыть шкаф, вынуть свитер и швырнуть в нее. Но нельзя. Нельзя входить в комнату Алены без ее разрешения и тем более нельзя открывать ее шкаф. Так же, как нельзя включать ее компьютер и перекладывать книги и вещи на столе. И вообще, без ее разрешения в ее комнате нельзя ничего, в том числе и делать уборку. Из-за этого у меня с уборкой постоянная головная боль. Убираться можно, только когда Алена дома, при этом она стоит у меня над душой и внимательно следит за тем, чтобы я, не дай бог, не сунула свой нос куда не надо, имеется в виду — в ее секреты. Чтобы не открывала книги и не смотрела, на каких страницах лежат закладки. Чтобы даже не смела интересоваться, какие книги читает Алена, из этого она тоже делала секрет, вкладывая их в специальные обложки из клеенки или кожзаменителя. Чтобы не открыла ненароком ее ежедневник и чего-нибудь там не подсмотрела. И ведь я больше чем уверена, что не было у Алены Сальниковой никакой тайной жизни, в которую нельзя посвящать посторонних, никаких там страшных секретов, участия в криминале или пристрастия к порокам. Вся эта таинственность — не более чем реакция на Адочкино давление, на ее требования полной открытости и стремление сделать все свое семейство подконтрольным и подотчетным ей самой. Ну и жажда взрослости, конечно, не без этого.

Сегодня я осмелилась зайти к ней в комнату, когда она была в школе, и положить свитер в шкаф. Во-первых, мне нужно было уходить, и не хотелось оставлять в прихожей сумку с вещами, чтобы это не выглядело так, будто я сорвалась с работы, оставив квартиру в беспорядке. И во-вторых, я, конечно, отлично понимала, что могу нарваться, но в тот момент мне было на это наплевать, меня куда больше беспокоили *шантажист, мое прошлое, мое будущее и мои деньги*. Ну вот и нарвалась. Вернее, сейчас нарвусь.

— Ты все-таки посмотри в шкафу, — устало посоветовала я, переобуваясь в домашние тапочки. — Я его туда сегодня положила.

Алена умчалась к себе, и через пару секунд ее возмущенный голосок зазвенел с новой силой:

— Зачем вы лазили в мой шкаф? Кто вам позволил?

— Извини. Мне нужно было убрать свитер, чистые белые вещи не должны валяться в прихожей, особенно когда в доме собака.

— Вы сами должны следить, чтобы животные не пакостили, вам за это деньги платят!

Может, я и не гигант мысли, но по терпению — точно чемпион. Врезать бы этой дуре так, чтобы надолго запомнила, но нельзя. Маленьким язычком я, разумеется, высказалась, не стесняясь в выражениях, но большим ответила вполне мирно:

— Мне нужно было уходить надолго, я знала, что не смогу проконтролировать животных. Переложить эту обязанность на твою маму я тоже не могла, ведь это моя обязанность, — я подчеркнула слово «моя», — и мне за нее деньги платят.

— Вам деньги платят за то, чтобы вы сидели дома целый день, а не гуляли неизвестно где.

Спасибо, что всего лишь «гуляла», а не «шлялась».

— Алена, — донесся из гостиной томный голос Мадам, — Ника не гуляла, она ездила к врачу. Я ее отпустила. И перестань, пожалуйста, кричать. От твоего визга в висках стучит.

Вот вам мама и дочка во всей красе. Перестань кричать. Не хамить, не разговаривать неподобающим образом со взрослой женщиной, которая по возрасту Алене в матери годится. Всего-навсего кричать. И то не потому, что кричать на взрослую женщину неприлично, а потому, что у Мадам в ушах звенит и в висках стучит. И уж поскольку смертельно больная домработница приехала от врача, то, может быть, все-таки поинтересоваться ее самочувствием? Да куда там! Приехала же, не подохла по дороге, на своих двоих явилась — значит, будет и дальше работать. Нет, что ни говори, а я была права, когда объясняла Никотину, почему не хочу, чтобы Наталья была мне благодарна. Не вынесет ее хлипкая душонка такого груза, не справится с ним. И при первой же возможности меня отсюда выкинут. А куда мне идти?

— Ника, зайдите к Николаю Григорьевичу, он что-то неважно себя чувствует, — промурлыкала Наталья, перелистывая толстый иллюстрированный журнал по архитектуре и дизайну.

— Мама, вот зачем ты отпустила Нику, когда дедушке так плохо? Мы ее для чего нанимали? Чтобы она дедушкиным здоровьем занималась. Дедушкиным, а не своим. — Алена, естественно, и тут не смогла промолчать.

Господи, неужели ему действительно «так» плохо? Я рванула по длинному коридору к его комнате. Главный Объект сидел в кресле, читал книгу и потирал рукой ту часть туловища, где расположен желудок. Лицо немного бледное, но дыхание хорошее, не поверхностное. Патрик, натурально, сладостно дрых на коленках любименького дедули, привалившись пушистым бело-серым бочком к области желудочно-кишечного тракта. Рука Старого Хозяина совершала движения в аккурат над спинкой котика, то и дело задевая шерстку, но Патрика это не нервировало, он даже ушами не шевелил.

— Добрый вечер, — я была сама лучезарность, — что у нас случилось, Николай Григорьевич? Почему за живот держимся?

— Что-то стал желудок болеть, — пожаловался он.

— Давно?

— Да вот как покушал в семь часов, так через полчасика· где-то и заболел.

— Что вы кушали?

— Котлеты с тушеной капустой.

— Вас кто кормил? Наталья Сергеевна?

— Нет, Аленушка. Наташенька в это время по телефону разговаривала, у нее был какой-то важный и очень долгий разговор.

— Покажите мне точно, где болит.

Он показал.

— В плечо отдает?

— Кажется, нет.

— А в шею?

— Нет.

Так, френикус-симптом отсутствует, это обнадеживает. Я взяла его за руку, посчитала пульс, потом велела поднять джемпер (Патрик при этом и не подумал оставить завоеванные позиции, недовольно муркнул, сместился вдоль коленей Николая Григорьевича ровно на три сантиметра и снова заснул) и посмотрела, как ведет себя живот при дыхании. Мне не очень понравилось, но все остальное было вполне приличным. Так что до катастрофы дело, пожалуй, не дошло. Обострение, конечно, есть, и к гадалке не ходи, но прободения нет.

Не вдаваясь в объяснения, я достала лекарства и заставила Старого Хозяина их выпить. Обволакивающее — чтобы снять раздражение слизистой, омез — чтобы утихомирить боль. А в том, что боль была сильной, я не сомневалась, просто Главный Объект умеет терпеть и не ныть. Это же надо при его-то язве накормить старика жирными бараньими котлетами, щедро сдобренными перцем, как любит Гомер, и не менее острой тушеной кислой капустой. Это была еда, предназначенная для Великого Слепца, он у нас любит остренькое и жирненькое. А для Николая Григорьевича я сегодня делала нежное пресное куриное филе и пюре из тушеных овощей.

На кухне я провела ревизию холодильника. Так и есть, Павел Николаевич остался практически без ужина. Ну какой урод мог перепутать блюда? Впрочем, вопрос явно риторический, мне же сказали — Алена. Вообще-то, в семнадцать лет пора уже соображать... Руки бы ей оторвать и голову отвернуть.

«Храни меня от злых мыслей...»

Ладно, что съедено, то съедено, теперь задача номер один — из оставшихся продуктов приготовить ужин для Павла Николаевича. Господи, и зачем эта дурочка дала деду пять котлет? Куда ему столько? Аппетит у Главного Объекта отменный, но и дисциплина на уровне, если нельзя много кушать — значит, нельзя, и он никогда не роптал на относительно небольшие порции. Однако же если дали много, то он много и съест. Ну а как же, ведь тот, кто подает на стол, знает, что делает. Сначала знала Адочка, и он ей верил. Потом знала Наталья, теперь знаю я. Если ему сказано, что Ника это приготовила для него, то он и съест, даже если это окажется острой солянкой и маринованными огурчиками. Поставили на стол пять котлет — он все пять и сверетенил. А ведь грубые погрешности в диете и переедание — одно из основных условий, способствующих перфорации язвы, особенно если она локализована так, как у Николая Григорьевича, то есть на передней стенке пилорического отдела желудка. Вот только прободной язвы у Старого Хозяина мне сейчас и не хватает для полного комплекта неприятностей! Но, судя по тому, что Николай Григорьевич не лежал, подтянув колени к животу, а все-таки сидел с книгой, не был бледным, не покрылся холодным потом и нормально дышал, до катастрофы дело все-таки не дошло. А ведь могло... Ах, Алена, Алена!

Придется быстренько делать чесночно-ореховый соус и тушить в нем куриное филе. С овощным пюре тоже что-нибудь придумаю, не пропадать же добру, а то еще обвинят в расточительности, в том, что неэкономно трачу хозяйские денежки. Знали бы они, как расточительно я собираюсь потратить свои собственные! Хорошо бы еще понимать, что у нас происходит с Денисом и его ужином. Вчера он готовился к зачету, сегодня, надо полагать, сдавал его и теперь радостно расслабляется. Домой-то придет или как? Его ведь тоже кормить надо.

— Наталья Сергеевна, мы Дениса сегодня ждем?

— Ах да, я забыла сказать. Денис звонил, он остается ночевать у своей подружки.

Что ж, больному легче.

— А вам что приготовить на ужин?

— Я видела в холодильнике овощное пюре...

— Но оно совсем пресное, — предупредила я, — я его делала для Николая Григорьевича. Вам вряд ли понравится.

— А что же Николай Григорьевич его не съел? — Мадам, облаченная в пеньюар, на этот раз нежно-салатового цвета, наконец оторва-

282

лась от журнала и соизволила взглянуть на меня. — Оно что, такое противное?

— Ему нравится. — Я пожала плечами. — Просто ему этого пюре не дали.

— Почему?

— Не знаю. Меня ведь не было дома в семь часов, когда Николай Григорьевич ужинал, — ненавязчиво напомнила я.

— Ах да... Кстати, что там с дедушкой?

Ну наконец-то! А если бы не разговор об ужине, она бы только завтра спросила о здоровье свекра? Или не спросила бы вообще?

— У Николая Григорьевича болит желудок. Он на ужин ел не то, что я ему приготовила. И вот результат.

— А что же он ел? — Наталья так искренне удивилась, что я ее даже пожалела.

— То, что предназначалось Павлу Николаевичу. Жирное, кислое и перченое. А Николаю Григорьевичу такого есть нельзя совсем.

— Алена! — внезапно заорала Мадам.

Я до такой степени не была готова к громким звукам, что вздрогнула. В коридоре послышались шаги, в гостиной возникло небесное видение в том самом многострадальном белоснежном свитере, но без брюк, в одних колготках, обтягивающих точеные стройные ножки. Фигурка у нашей Алены прелестная, чего не скажешь о характере. Вероятно, мать оторвала ее от важного процесса выбора туалета для завтрашнего визита в школу.

— Что, мам?

— Ты чем дедушку на ужин кормила?!

— Что в холодильнике было, тем и кормила. Чего ты кричишь? Ты же сама сказала разогреть мясо и овощи.

— Ты что, не отличаешь диетическое мясо от бараньих котлет? Ты что, слепая, ты не видишь, где кислая капуста, а где овощное пюре? Ты накормила деда папиным ужином, у него теперь приступ из-за тебя!

— Ты сказала: мясо и овощи, — злобно упиралась Алена. — Надо было объяснять как следует. И вообще, я не обязана деда кормить и в этих ваших кастрюльках разбираться, у меня других проблем хватает. Это Никина обязанность, вот пусть она и кормит.

— Господи, — Наталья схватилась за голову, — раз в жизни Ника отлучилась на полдня, и ты уже чуть деда не угробила! Тебе семнадцать лет, ты через месяц школу заканчиваешь, в институт собираешься поступать, а ведешь себя как младенец. На тебя ни в чем нельзя положиться.

— На Нику тоже, — отпарировала выпускница.

— Ника-то тут при чем? Ее дома не было.

— А пусть вовремя приходит, а не гуляет неизвестно где.

284

Стройные ножки в колготках сделали пируэт и исчезли из поля зрения. Интересно, в этой семье кто-нибудь когда-нибудь говорил о том, что обсуждать присутствующих в третьем лице — дурной тон? Вероятно, говорили. Поверить не могу, чтобы Аделаида Тимофеевна допускала такое. Или здесь под присутствующими подразумеваются равные себе по статусу, а не прислуга?

Я отправилась назад, в пищеблок, доводить до приемлемой кондиции овощное пюре, на которое положила глаз Мадам, и попутно создавать какой-то гарнир для Гомера, поскольку жалких остатков тушеной капусты ему точно не хватит. Какой чертовски длинный день... Он начался вчера утром и ночью не дал мне возможности сделать перерыв. И все никак не закончится. Скорей бы уж вернулся с работы Великий Слепец, я его накормлю, потом в десять часов вместо кефира с творогом заставлю Старого Хозяина съесть две ложки жидкой овсяной каши, которую он люто ненавидит, но давится и ест, если нужно. Потом вечерний «собакинг» — и можно ложиться спать.

Хотя смогу ли я заснуть — это еще вопрос. За домашними полускандальными перебранками и кулинарными хлопотами мысли о шантажисте, о Севе Огородникове и о деньгах слегка отодвинулись с переднего плана на боковой, ближе к кулисам, но как только авансцена освободится... Короче, свято место пусто не бывает. А желающие потусоваться на авансцене найдутся всегда.

В ДОМЕ НАПРОТИВ

Отец и сегодня вернулся поздно, но уже не был таким воодушевленным, как накануне. Костя понимал, что отец слишком много надежд возложил на вчерашний успех и рассчитывал, что теперь дело сдвинется с мертвой точки и помчится семимильными шагами. Он думал, что, увидев наконец Врага в обществе Главного Врага, сразу все поймет, все выяснит и найдет нужные ходы. И план дальнейших действий составится легко и быстро.

А за сегодняшний день ничего, похоже, не произошло. Отец умчался с самого утра по тому адресу, где накануне закончил свою деловую активность предполагаемый Главный Враг, но вечером вернулся ни с чем. Никакой новой информации, зато много новой злости и усталости. Даже имя Главного Врага не сумел выяснить. И почему он думал, что это будет легко и просто?

Наверное, его обманула та легкость, с которой все получалось на первых порах. Доверчивый Вадька, жестоко обманутый в своих ожиданиях и не поступивший в институт, сказал, что имел дело с неким доцентом, преподававшим им на подготовительных курсах. Конкурс в институт был жестоким, как, впрочем, и в любой другой, где обучают бесплатно и есть военная кафедра. Платную учебу родители не потянули бы, это понятно. И Вадька старался изо всех сил, ходил на подготовительные курсы, занимался дни и ночи напролет. Он был талантливым математиком, здорово разбирался во всяких там компьютерных программах, но с правописанием у него беда, по русскому языку никогда выше тройки в году не выходило. И конечно, вступительного экзамена по русскому он боялся смертельно, будет это сочинение или изложение — значения уже не имело, даже если Вадик будет знать, что написать, он все равно напишет с такими чудовищными ошибками, что наверняка провалится. Но он надеялся на чудо. На то, что приемная комиссия оценит его математическую и компьютерную подготовку и закроет глаза на вопиющую безграмотность.

И чудо поманило его. Тот самый доцент, который преподавал на подготовительных курсах математику, однажды пригласил Вадима Фадеева поговорить с глазу на глаз.

— Ты очень способный парень, — сказал доцент, — и будет просто страшно обидно, если ты не поступишь. Твое слабое место — русский язык. Ты ведь знаешь об этом?

— Знаю, — понурил голову Вадик. — Столько лет бьюсь — и ничего не получается. Наверное, мне это не дано. Ведь есть же люди с врожденной грамотностью. А у меня врожденная неграмотность. Вы думаете, если я напишу изложение с ошибками, но все остальные экзамены сдам на «отлично», меня не примут?

— Наверняка не примут, — твердо ответил доцент. — И будет очень жаль. Но... У тебя есть шанс.

— Какой? — радостно встрепенулся парнишка.

— Понимаешь, один человек нуждается в помощи. Он имеет очень большое влияние в приемной комиссии, к нему все прислушиваются... Ты про ректорские списки слыхал?

— Смутно, — признался Вадим. — Слышал, но точно не знаю, что это такое.

— Ректорский список — это список абитуриентов, которые должны поступить во что бы то ни стало, даже если у них совсем никаких знаний нет. Как в этот список попадают — история длинная и неинтересная, важно другое: если ты в списке, то можешь спать спокойно и ни о чем не волноваться, обо всем за тебя экзаменатор на экзамене будет думать. Так вот, если ты поможешь одному человеку, ты гарантированно попадешь в этот список.

— А что нужно делать?

— Проявить знание компьютерных технологий, — доцент улыбнулся так, словно хотел сказать, что в возможностях Вадима не сомневается, что именно это парень и умеет, и именно это от него и требуется. — Видишь ли, этого человека обманули. Он ведь государственный служащий, зарплата у него не ахти какая, и он, как все нормальные люди, хотел попробовать вложиться в ценные бумаги, чтобы получить хоть какую-то прибыль. Продал машину, дачу, собрал все, что имел, и вложил туда, куда ему один биржевой жук посоветовал. А они, сволочи, обманули его и разорили. Длинная была история, не буду тебе ее пересказывать, чтобы не сплетничать. Но факт есть факт: его нагло обманули, он остался ни с чем. И хочет теперь попытаться вернуть свои деньги. Понимаешь?

— Понимаю. А как это можно сделать?

— При помощи компьютера. Взламывается сеть, туда вносится определенная информация... Ну, ты не экономист, для тебя это сложно будет. Твоя задача — взломать сеть и ввести информацию, какую именно — тебе на бумажке напишут. И все.

— Но я не хакер, — неуверенно возразил Вадим. — Это же хакерство — взламывать чужую сеть, разве нет?

— Хакерство, — легко согласился доцент. — Но кто сказал, что это преступление? В каком законе это написано? Ни в каком. Это всего-навсего считается неприличным, но ведь и ругаться матом считается неприличным, а почти все ругаются. И потом, разве обманывать и красть чужие деньги — хорошо? А разве справедливо, что талантливые математики вроде тебя не могут получить специальность и приносить пользу своей стране только лишь потому, что не умеют правильно расставлять знаки препинания? Ведь глупость же!

Вадим согласился, что да, действительно, глупость.

— В общем, если ты сделаешь то, о чем попросит тебя тот человек, и поможешь ему вернуть обманом отнятые деньги, то место в ректорском списке тебе гарантировано. И никакой русский язык тебе больше не страшен. Ну как, согласен?

Вадим колебался. Предложение было заманчивым, но неожиданным и не сказать чтобы уж совсем обычным.

— А этот человек... он кто? — задал он робкий вопрос.

— Проректор. Проректор нашего института по учебной работе. На самом деле он даже более влиятелен, чем сам ректор, потому что ректор у нас уже старенький и часто болеет, а проректору он доверяет как самому себе и ни во что не вникает, все в его руки отдал. Ты же понимаешь, что если проректор, особенно такой, как наш, будет тебе обязан и благодарен, то проблем ни с поступлением, ни с дальнейшей учебой у тебя не будет. Он человек слова, можешь мне поверить. И с этими акциями он попал, прости за выражение, в такую задницу, что хоть вешайся. Неужели не поможешь хорошему человеку?

В том, что человек хороший, Вадим Фадеев был не очень уверен, он просто этого человека не знал. Но в том, что он хочет учиться именно в этом институте, и в том, что панически боится армейской дедовщины, он был уверен процентов на триста, а то и на пятьсот. И он согласился.

Через несколько дней доцент привез его в какую-то контору, адреса и месторасположения которой Вадим не запомнил, и представил «тому человеку», проректору. Вадима посадили за компьютер, объяснили, что нужно сделать, поставили задачу. Через три часа он задачу выполнил. Ему сказали «большое спасибо», напоили чаем с вкусными бутербродами, угостили хорошим коньяком и отвезли на машине домой.

Он еще мог подать документы в другой вуз. Он мог, перенапрягая память, подзубрить правила синтаксиса, потренироваться в написании изложения дома и выучить правописание слов, в которых чаще всего делает ошибки. Но ничего этого он не сделал, потому что был уверен: теперь все в порядке. Он, считай, уже поступил.

Но он не поступил. Более того, даже по тем предметам, в которых он чувствовал себя свободно и уверенно, он почему-то получил четверки и проходного балла не набрал, даже если бы написал изложение на «отлично», а написал он его на двойку.

Поступать в другой институт было уже поздно. А в декабре ему исполнялось восемнадцать лет, и он подлежал весеннему призыву на военную службу. Вадим был в шоке. В панике. В ужасе. Откупиться от армии семья не могла — достаток не позволял, не было денег ни на взятки, ни на «белый билет». И хрупкий, нежный, доверчивый, мягкий и пугливый Вадик сделал единственное, что, по его мнению, могло спасти его от ужасов дедовщины, которыми на протяжении последних лет упорно стращали его родители: прибегнул к членовредительству. Перерезал ножом сухожилия на правой руке. С точки зрения ухода от службы — вполне удачно перерезал, но с точки зрения здоровья и всего остального... Короче говоря, кровопотеря, инфицирование раны, сепсис, глубочайшая депрессия. Плюс почти не сгибающиеся два пальца правой руки, средний и указательный. Уже восемь месяцев Вадим Фадеев не выходит из больницы.

Но правда выяснилась далеко не сразу. Только после перевода из хирургии в клинику нервных болезней Вадим рассказал обо всем родителям и брату. Вот тогда отец и принял решение найти тех, кто так подло обманул сына.

На первом этапе все было действительно легко. Вадим назвал имя доцента, отец поехал в институт, выяснил, что такой есть, работает не на постоянной основе, а почасовиком, поскольку основная работа у него в другом месте, в какой-то фирме, а в институте он просто подрабатывает. Что же касается проректора по учебной работе, то им оказалась женщина, занимающая эту должность уже четыре года. Правда, проректором по науке (отец допускал, что неопытный Вадька мог что-то напутать) был мужчина, но ни по описанию внешности, ни по имени он не подходил. Когда доцент знакомил абитуриента с «проректором», он назвал имя: Дмитрий Дмитриевич. Во всем огромном институте ни одного Дмитрия Дмитриевича не сыскалось. Вернее, нет, один все-таки нашелся, но на роль «проректора» никак не тянул, поскольку был сантехником.

Отец Вадима Фадеева не был сторонником тупых и прямолинейных мер. Он прочел в своей жизни достаточно книг и посмотрел достаточно фильмов, чтобы понимать, что приди он к коварному доценту и возьми его за грудки — толку не будет. Даже если доцент сильно испугается и начнет говорить, скорее всего, это будет заранее заготовленное вранье, к которому невозможно придраться. Он ведь не полный дурак, и если обманывает мальчишку, который знает его по имени, по месту работы и в лицо, то мальчишка ведь может и сам прийти с ненужными вопросами и претензиями, и родителей привести, и даже милицию. И доцент к подобному повороту наверняка готов. Так какой смысл устраивать скандал, чтобы выслушать гладенькую, как обтесанная морской волной галька, ложь? Нужно выяснить правду. Нужно узнать, что произошло на самом деле и кто такой этот «проректор» Дмитрий Дмитриевич.

Вадька уже лежал в больнице и показать доцента сам не мог, но он так хорошо его описал, что отцу после нескольких дней несения вахты в институте удалось его найти и даже выследить, где тот живет. Еще Вадик сказал, что доцент упоминал о своей собаке, называл породу — черный терьер, их еще иногда называют русскими терьерами, и имя называл, какое-то химическое, вроде инертный газ, что ли. Да, в том подъезде, где жил Враг, была такая собака, одна на всю улицу, и это подтверждало, что и сам Враг, и его адрес установлены безошибочно. Теперь вставала задача куда более сложная: наблюдать за доцентом, пока тот не встретится с Главным Врагом, с Дмитрием Дмитриевичем. Фадеевы сняли квартиру напротив дома, где живет доцент...

Тогда казалось, что это ненадолго. Максимум на месяц. Оказалось, что все куда сложнее. Примитивным наблюдением задачка отчего-то не решалась, и отец уже терял терпение. Вернее, он потерял его именно сегодня, когда после вчерашнего успеха — встречи доцента с Дмитрием Дмитриевичем — все снова застопорилось.

— Константин, — начал он, и Костя понял,

что разговор пойдет серьезный, — тебе пора подключаться. Нужно, чтобы ты познакомился с женщиной.

— С какой женщиной?

— С его женой. С той, которая гуляет с собакой.

— Зачем, папа? Неужели ты думаешь, что она что-то знает и мне расскажет? — недоумевал Костя, которому совершенно не улыбалась перспектива знакомиться с какой-то старой теткой, чуть ли не ровесницей его родителей.

— Нет, я так не думаю. — Отец медленно закипал, и Костя испугался, что тот может сорваться и начать кричать. — Но я думаю, что поскольку она является женой нашего Врага, то может рассказать тебе о его жизни, о его работе, о его привычках и друзьях, о его вкусах и образе мыслей.

— Да с какой стати она начнет рассказывать мне о своем муже?

— Женщины, Константин, очень любят рассказывать своим любовникам о своих мужьях. Это невозможно объяснить, но это факт.

— Да ты что, пап?! — От негодования у Кости даже голос задрожал, и внутри стало горячо и противно, словно в грудную клетку попали кипящие помои. — Я что, должен стать ее любовником?

— Придется, если будет нужно. Ты легко сделаешь для своего брата такую малость.

— Пап, ты соображаешь, что говоришь? Ты на что меня толкаешь?

— На то, чтобы отомстить за родного брата, — голос у отца стал жестким и неприятным. — У тебя есть цель, и ты должен к ней идти, а не разводить слюни на романтических бреднях. Если ты умный, тебе не придется с ней спать. Если дурак — извини. Напряжешься и потерпишь.

Это звучало до такой степени цинично, что Костя ушам своим не верил. Он не подозревал, что отец может быть таким... Что может предложить сыну такое... И даже не предложить — заставлять делать. Впрочем, он сказал что-то о том, что если Костя не дурак, то спать с ней не придется. Что он имел в виду?

— А... как сделать, чтобы не спать с ней? — осторожно спросил он, понимая, что фактически уже согласился на все варианты.

Не мог он сказать отцу «нет». Не мог отказать ему. Не мог послать его подальше с такими «интересными» предложениями. Ведь он отец, а речь, в конце концов, идет о Вадьке, для которого Костя готов пойти на все.

— Молодой влюбленный юноша, которому некуда пригласить свою даму сердца, а идти к ней домой, туда, где живет, спит и ест ее законный муж, он не может по этическим причинам. Эдакий романтический чистоплюй. Робкий и влюбленный по уши.

— А если она сама предложит куда-нибудь пойти? К подруге, например?

— Если умный — выкрутишься. Найдешь аргументы. Не найдешь — трахнешь ее, ничего с тобой не сделается.

— А если она мной вообще не заинтересуется? Если я ей не понравлюсь?

Отец критически осмотрел сына, как иные мамаши оглядывают своих дочерей на выданье.

— Ты рослый, плечистый, симпатичный, неглупый. Почему ты должен ей не понравиться? И потом, запомни, ты раза в два моложе ее, и не родилась еще женщина, которой не польстило бы внимание юноши при такой разнице в возрасте. Тем более внешность у нее самая невыдающаяся, обыкновенная, и вниманием мужиков она наверняка не избалована. Клюнет, я уверен. Она затюканная несчастная домохозяйка, ты посмотри, она постоянно с сумками таскается, с собакой гуляет утром и вечером, а он? Ты хоть раз видел, чтобы он с собакой вышел?

— Ни разу, — признался Костя. — Но я ведь не смотрю, это же ты за домом наблюдаешь.

— Так вот я тебе ответственно заявляю, что за те месяцы, которые мы тут прожили, он с собственной собакой не погулял ни разу. Все, что можно, на жену перевалил. Какие у нее радости в жизни? Никаких. Вот и пусть будет у нее маленькая тайная радость — молодой любовник. Или поклонник, это уж как ты сам справишься с ситуацией.

Впервые в жизни в голову Кости Фадеева закралась мысль о том, что его отец — жестокое, бессердечное чудовище. Нет, это не может быть правдой, отец не чудовище, ведь он все это ради Вадьки делает, ради сына! Чудовище не может так беззаветно любить своих детей.

— Пап, а может, лучше ты сам? — неуверенно предложил Костя.

— Что — сам?

— Ну это... познакомишься с ней, роман закрутишь... Ты все-таки ей по возрасту ближе, ей с тобой интереснее будет.

— Я слежу за ее мужем, и мне нельзя светиться, иначе она меня узнает в самый неподходящий момент. И потом, ты что, хочешь, чтобы я изменил маме? — надменно проговорил отец. — Не ожидал, что у меня сын — подонок.

«А ты хочешь, чтобы я изменил Миле?» — чуть было не выкрикнул Костя, но сдержался. То есть он непременно сказал бы это вслух, но растерялся, услышав, что отец назвал его подонком. Растерялся и не нашел что ответить. Это было так неожиданно...

Если бы отец был чудовищем, он не остановился бы перед тем, чтобы изменить маме.

Но если бы он не был жестоким и бессердечным, он не послал бы своего сына охмурять женщину, у которой и без того безрадостная жизнь.

Если он чудовище, то он не вкладывал бы столько души в Вадьку.

Если же нет, то не назвал бы Костю подонком.

В голове у Кости царила неразбериха, и он чувствовал, что в присутствии отца ему с ней не справиться. Ему нужно побыть одному. Помолчать и подумать.

А мама что скажет? Что она скажет, когда придет поздно вечером домой и узнает, на что отец толкает сына? Может быть, остановит мужа, объяснит ему, уговорит? Устроит скандал, защитит Костю?

Костя лег в своей комнате на продавленную узкую кушетку, закинул руки за голову и уставился в серый пятнистый, покрытый трещинами потолок. Если ему придется сделать то, что от него требует отец, так сказать, в полном объеме, то получится, что он на самом деле изменит Миле, потому что у Милы, конечно, сложная бабушка, да и родители непростые, но зато есть подружки, которым предки снимают квартиры и которые без всякого напряга дают ключи «попользоваться». Мила и Костя «пользовались» такими квартирами неоднократно, поэтому Костины интимные отношения с другой женщиной могли получить только одно толкование: измена. Да они и сегодня «пользовались», честно отсидели первую пару, семинар, а вторую и третью — лекции — прогуляли, вернее, провалялись в чужой, но от этого не менее мягкой и сладкой постели. Потом Мила везла его домой, ждала, пока он соберет купленные матерью с утра фрукты и соки для Вадима, потом они заехали в «Мак-авто», купили еды и сидели в машине часа полтора, жуя, разговаривая и целуясь. Потом ездили в больницу, Костя навещал брата, а Мила ждала его в кафе, развлекаясь в Интернете или готовясь к завтрашней контрольной. Вечером он думает о ней, ночью видит ее во сне, а с девяти утра и до восьми вечера они снова будут вместе. Мила заполнила его жизнь целиком, вернее, ту часть жизни, которая неподконтрольна отцу. И как же он может начать ухаживать за другой женщиной? За чужой, незнакомой и совсем ему ненужной? Да еще и в два раза старше.

— Он вернулся, — послышался из соседней комнаты голос отца. — Ты слышишь, Костя?

— Слышу.

— Как только она выйдет с собакой, я тебе скажу.

— Ладно.

Через некоторое время отец заглянул в его комнату и недовольно поморщился, увидев сына лежащим на кушетке.

— Я думал, ты занимаешься.

— У меня завтра нет семинаров, одни лекции, — соврал Костя, отлично помнивший о предстоящей контрольной.

— Все равно нужно заниматься каждый день.

— Мне нужно подумать, пап, — вывернулся он. — Ты же меня озадачил, и мне нужно все продумать как следует.

Отец смягчился, взгляд потеплел.

— Ты будешь ужинать? Разогреть тебе?

— Не хочу, спасибо.

Врет он все, он голоден как волк. Но почему-то Косте сейчас совсем не хочется сидеть с отцом на кухне за одним столом. Почему-то отец стал ему неприятен. Наверное, это пройдет. Лучше он потерпит, а потом, когда вернется, поужинает вместе с мамой. Или один. Или ляжет спать совсем без ужина. Но сейчас, именно сейчас, прежде чем он начнет знакомство и разговоры с ненужной и уже заранее отвратительной ему женщиной, он хочет побыть наедине с собой и подумать о Миле. Пока еще он имеет право думать о ней честно, не кривя душой и не обманывая ни себя, ни ее, ни ту незнакомую и ненужную ему женщину. Через пару часов такого права у него уже не будет, и надо ловить последние минуты, последние мгновения чистого и искреннего счастья.

— Костя, она вышла. Давай одевайся и иди к ней.

Ну вот и все. Сейчас все начнется. И все кончится.

Ну почему этот бесконечный день никак не закончится и не оставит меня в покое? Мне кажется, он истязает меня с каким-то садистским наслаждением. И не в том дело, что я хочу спать, это-то как раз ерунда, работая на «Скорой», я привыкла к суточным дежурствам.

Я уже собралась было выйти с Аргоном на прогулку, сладко мечтая о том, как дам ему полчаса, не больше, на отправление всех необходимых надобностей и потом приму душ и лягу спать. Правда, Великий Слепец почему-то до сих пор не объявился, но я надеялась, что, пока я буду гулять, он придет. Может быть, Наталья даже сама его покормит. Ну, в крайнем случае я подам ужин и уж потом...

Но не тут-то было. Увидев, что я одеваюсь в прихожей, Наталья выплыла из гостиной и зачем-то прикрыла за собой дверь.

— Ника, вы, когда возвращались домой, не видели внизу машину Павла Николаевича?

Вопрос поставил меня в тупик. Во-первых, Гомер держит машину в гараже-«ракушке» в двадцати метрах от подъезда, и, даже если она там и стояла, увидеть ее я все равно никак не могла. А во-вторых, откуда вообще такой вопрос? Что, у Натальи есть основания полагать, что ее драгоценный супруг вернулся, поставил машину, но домой не пошел, так, что ли? А куда же он пошел? К любовнице в соседнем подъезде? Бредятина.

Я ответила, что машины не видела.

— Сходите посмотрите, — не то попросила, не то велела Мадам.

— Но у меня нет ключей от гаража.

— Зачем вам ключи? Возьмите фонарик и посветите в щель. Если машина там, вы ее увидите.

Смысл происходящего остался для меня пока неясным, но я взяла за правило в этой семье не задавать лишних вопросов, чтобы, не дай бог, в один прекрасный момент не стать неудобной.

Я достала из шкафчика в прихожей фонарик и потянулась за поводком, но Наталья меня остановила:

— Ника, сначала посмотрите машину, вернитесь и скажите мне, а потом пойдете с Аргоном.

Да что ж это такое-то! Почему она не может подождать, пока я выгуляю собаку? Если ей так не терпится, пошла бы сама да и посмотрела, стоит машина в гараже или нет, а не гоняла меня туда-сюда. Ладно, Кадырова, заткнись, ты прислуга, и твое дело телячье.

Аргон, крутившийся рядом, посмотрел с обидой, когда я стала открывать дверь. Что же это делается, граждане-товарищи?! Время самое что ни есть «гулячее», половина одиннадцатого, и

Ника уже оделась и даже поводок трогала — и что теперь? Все отменяется? До утра, что ли, терпеть?

Я спустилась вниз, подошла к «ракушке» и посветила в щель. Странно, но машина Гомера действительно была на месте. А где же он сам? Может, он ее и не брал с утра? Но тогда это означает, что Павел Николаевич уже с утра знал, что собирается «нарушать режим». Ох ты, доля моя горькая, выходит, мне еще и встречать его придется! Прощайте, мечты о горячем душе и теплой постели, о покое и тишине.

— Машина на месте, — сообщила я как можно спокойнее, вернувшись в квартиру.

— Ника...

Ну все понятно. Как я и предполагала.

— Наталья Сергеевна, вы хотя бы приблизительно знаете, когда вернется Павел Николаевич?

— Не знаю. — Она отвела глаза. — Но зато я знаю, где он и с кем. Он в сто десятой квартире на девятом этаже. Там живет его одноклассник. Вернее... Он там раньше жил, он уже давно уехал в Австрию, здесь осталась его сестра. Когда он приезжает в гости, он всегда звонит Паше... Павлу Николаевичу...

— И сейчас он в Москве? — уточнила я.

— Я его видела вчера. Он здесь. Я думаю, они столкнулись случайно, у подъезда, когда Павел Николаевич уже шел домой. Ну и Миша затащил его к себе. Иначе Павел Николаевич предупредил бы меня, что задерживается. А так знаете ведь как бывает... Кажется, что заходишь на минутку и что уже сейчас уйдешь, и еще минутка, и еще... И не замечаешь...

Ты моя золотая. Как же ты его оправдываешь! Интересно только, перед кем — передо мной или перед собой? Квартира на девятом этаже. И что мне делать-то прикажете? Идти вызволять его оттуда? Или сидеть на девятом этаже и караулить, когда Гомер соизволит прекратить накачиваться водкой и соберется домой? И тащить его оттуда на себе, чтобы он не свалился в пьяный беспробудный сон где-нибудь возле лифта? Ну хорошо, допустим. А собака? Кто и когда будет с ней гулять, если мне придется занять пост внутри здания? Черт бы вас взял, Сальниковы большие и маленькие, с вашими тайными и явными проблемами, с вашим гонором и вашими претензиями!

— Хорошо, Наталья Сергеевна, не волнуйтесь, я все сделаю.

Нежно-салатовый пеньюар всколыхнулся вокруг делающего поворот тела, Наталья, вполне удовлетворенная моим обещанием, вернулась в гостиную, к телевизору и журналам. Взяв Аргона на поводок, я вышла из квартиры и поднялась на девятый этаж. Здесь тоже были две тамбурные двери, на каждой по два звонка. Найдя две единички и нолик, я решительно надавила на кнопку. Не открывали довольно долго, мне даже пришлось позвонить еще раз. Наконец загромыхали замки, и мне открыла приятная женщина лет пятидесяти.

— Вам кого?

— Извините, пожалуйста, Павел Николаевич Сальников не у вас случайно?

— А вы кто такая?

— Домработница. Жена Павла Николаевича волнуется, он до сих пор не пришел с работы, но она видела вашего брата вчера и подумала, что они, наверное, встретились.

— Еще как встретились, — обреченно вздохнула женщина. — Каждый раз как встретятся, так расстаться не могут, пока все не выпьют. Вы хотите его забрать?

Она так и сказала: забрать. Как забытую в гостях вещь, книгу, например, или зонтик. Вероятно, смысл этого глагола состоял в том, что Павел Николаевич уже плохо передвигается на своих двоих и транспортировать его можно только с посторонней помощью.

Соблазн был велик. Схватить Гомера в охапку, дотащить до квартиры, сдать с рук на руки Наталье и отправиться на «собакинг». Через полчаса вернуться и...

Но нет, нельзя. Вытаскивать мужа из пьяной компании дозволяется только жене, а никак не домработнице. Престиж главы семьи, репутация, чувство собственного достоинства — существует множество слов и понятий, при помощи которых выстраиваются аргументы, объясняющие, почему мне нельзя входить в эту квартиру и забирать Гомера.

— Как вы думаете, Павел Николаевич у вас еще долго пробудет? — спросила я.

— Там еще много есть чего выпить, — очень серьезно ответила сестра Гомерова одноклассника. — Я думаю, не меньше часа еще.

— Понимаете, мне нужно с собакой погулять, — торопливо заговорила я. — А потом...

— Да я все понимаю, — женщина скупо улыбнулась, — я же сколько раз видела, как вы с ним, с пьяным, на лавочке у подъезда сидите. Гуляйте спокойно, час я вам гарантирую.

— А вдруг он раньше соберется?

— Не соберется. Я их знаю. В крайнем случае я его задержу. Года два назад Паша так нажрался с моим Мишкой, что заснул прямо в лифте. Кто-то из жильцов на него наткнулся, выволок на первом этаже из лифта, так Паша до утра там и проспал. Правильно, конечно, что вы его в таком состоянии одного не отпускаете. Это из-за детей, да?

— Нет, дети в курсе. Они уже большие, их этим не удивишь. Но у отца Павла Николаевича больное сердце, и ему совсем не нужно видеть сына в таком состоянии.

— Понимаю, — снова повторила женщина. — Так вы идите гуляйте. Вы его где караулить будете? На своем этаже или на нашем?

— Лучше на вашем, так надежнее.

— Ладно, возвращайтесь, как погуляете, я вам стульчик вынесу.

Горячо поблагодарив неожиданную помощницу в моем деликатном деле, я вывела страдающего и поскуливающего от нетерпения Аргона на улицу. Черт с ним, с пьяным Гомером, зато у меня есть целый час тишины, кислорода и общения с собственными мыслями, с которого меня постоянно сбивают, когда я нахожусь дома.

Ан нет, Кадырова, рано ты размечталась! Если уж везет, как вчера, то во всем, а если не везет, то тотально. Даже такую малость, как час молчаливой прогулки, у меня отняли.

— Добрый вечер.

Передо мной стоял паренек лет двадцати, высокий, широкоплечий. И, кажется, симпатичный, но в темноте апрельского вечера разглядеть его лицо в деталях было трудновато.

— Добрый вечер, — вежливо откликнулась я.

— Вы меня не помните?

— Нет. А должна?

— Помните, я с вами на улице разговаривал? Про собаку спрашивал. Вы мне сказали, что его зовут Аргон. Он еще руки мне лизал, помните?

Я вспомнила. Такой эпизод действительно был, но вот лица своего тогдашнего собеседника я совершенно не помнила. Вполне возможно, именно этот мальчик и был. Вполне возможно. Ну и дальше что?

— Да, помню, — кивнула я.

— Можно я с вами погуляю? — спросил паренек.

— А зачем?

Мне показалось, он не то смутился, не то растерялся.

— Понимаете... Я с родителями поссорился. Хлопнул дверью и ушел. Конечно, я поступил как дурак. Куда уходить-то на ночь глядя? Мы вот в этом доме живем, — он указал рукой на страшненького вида пятиэтажку, стоящую на противоположной стороне улицы. — Вот я и решил просто погулять пару часиков, пока они не уснут, потом вернуться. Детский сад, правда? Вроде я уже взрослый, а иногда такие глупости делаю... Впрочем, говорят, что для своих родителей мы никогда не становимся достаточно взрослыми. Как вы думаете, это правда?

Его выступление мне понравилось, в нем были самокритичность, искренность и зерна здравого смысла.

— Думаю, что правда, — подтвердила я. — Правда, у меня своих детей нет, так что собственным родительским опытом поделиться не могу. Но наблюдение за другими семьями говорит о том, что это правда.

— Вы не замужем?

— Почему вы решили? — опешила я.

Конечно же, я не замужем, по крайней мере фактически, потому что юридически мой брак до сих пор не расторгнут и я считаюсь замужней дамой, но на самом-то деле... А как он угадал, интересно?

— Вы сказали, что у вас детей нет, — объяснил паренек.

— Одно с другим не связано, — уклончиво ответила я. — Я замужем.

— Я часто вас вижу, когда вы с собакой гуляете, и утром, и вечером, и вы всегда одна.

— Для выгула собаки двое не нужны. Это вполне можно делать одному.

— А меня Костей зовут, — ни с того ни с сего сообщил мальчик. — А вас?

— Вероникой.

Я подумала, не назваться ли мне полным именем-отчеством, все-таки я намного старше, но потом решила не усложнять. И вообще, отчества — это такой анахронизм, нигде в мире нет никаких отчеств, только имена и фамилии. А для сохранения дистанции вполне достаточно обращения на «вы».

— Я знаю, вы по вечерам с собакой на спортплощадку ходите. Так вы из-за меня маршрут не меняйте, я с вами пойду, можно?

— Откуда вы знаете, куда я хожу с собакой по вечерам? — с подозрением спросила я.

На самом деле подозревать этого мальчика

310

мне было абсолютно не в чем, было бы глупо предполагать, что он вынашивает коварную затею покуситься на мою женскую честь, а больше у меня взять нечего.

— Я... за вами наблюдал, — пробормотал он и снова смутился.

— Зачем? Зачем вы за мной наблюдали?

Мне стало интересно.

— Вы очень красивая, — проговорил он, преодолев смущение. — Я хотел с вами познакомиться и не знал как, ходил за вами по пятам как дурак, а подойти не решался.

Теперь мне стало не только интересно, но и смешно.

— Сегодня, значит, решился, — насмешливо констатировала я. — А про ссору с родителями выдумал, да?

— Нет, я правда с ними поссорился, честное слово. Может, поэтому и решился с вами заговорить. Обнаглел от стресса.

Это бывает.

— Вам сколько лет, Костя?

— Восемнадцать.

— А мне тридцать семь. Зачем вам со мной знакомиться? Что у нас может быть общего?

— Но мы же все равно уже познакомились.

Резонно. И чего я, собственно говоря, колючки выставила? Мне уже давным-давно никто не говорил, что я красивая. А слышать приятно. Хотя нет, вру, говорил. Никотин. И не далее как вчера. Он сказал, что у меня приятный голос, красивое лицо и отличная фигура. Но Никотин не в счет, в его возрасте все женщины моложе сорока кажутся красавицами. А вот комплимент восемнадцатилетнего мальчишки дорогого стоит, ведь женщины моего возраста для его поколения — ветошь, негодная к употреблению. Только что мне делать с этим комплиментом? Куда его девать?

— Хорошо, — согласно кивнула я, — мы познакомились. И что мы будем делать дальше?

— Встречаться, — легко улыбнулся Костя. По крайней мере, мне в темноте показалось, что он улыбнулся. — Мы будем с вами по вечерам вместе гулять с собакой и разговаривать. Вы будете рассказывать мне о себе, я вам — о себе. И еще я буду дарить вам цветы и не буду обижаться, если вы, возвращаясь домой, станете засовывать их в урну или в мусоропровод. Я ведь понимаю, вы замужем, и эти цветы, принесенные с прогулки, вы мужу никак не объясните.

— Зачем же тогда дарить цветы, если вы заранее будете знать, какая печальная участь их постигнет? Неужели не жалко?

— А чего их жалеть? Их все равно уже срезали, и жить им осталось всего два-три дня. Срезанные цветы для того и предназначены, чтобы служить знаком внимания и любви.

Опять же резонно. Мальчишка неглуп, это

точно. Но насчет цветов, которые он собирается дарить мне в знак любви, — это он погорячился.

— А без цветов никак не обойдемся?

— Если вам неприятно — я не буду их дарить, — очень серьезно ответил он.

Мы дошли до спортплощадки, я отпустила Аргона и в нерешительности остановилась. Делать разминку при постороннем мужчине, хоть и совсем молоденьком, как-то не хотелось. С другой стороны, если он наблюдал за мной и ходил по пятам, то наверняка сто раз видел, как я это проделываю, так что особо стесняться-то нечего.

— Костя, если вы за мной наблюдали, то, вероятно, знаете, зачем я прихожу сюда, — сказала я.

Он молча кивнул.

— Тогда не мешайте мне, пожалуйста. Идите погуляйте минут двадцать, не отсвечивайте здесь.

Он послушно отошел. Я дождалась, пока его фигура скроется из виду, сделала для проформы несколько наклонов, прыжков и приседаний, два раза подтянулась на турнике и поняла, что сегодня заниматься своей физической формой мне совсем не хочется. И не то чтобы я устала... А может, устала... Не знаю. Ну ее, эту гимнастику, нет у меня больше сил ни на нее, ни на Наталью с ее шантажистом, ни на Гомера с его пьянками, ни на Алену с ее беспредельным идиотским выпендрежем, ни на собственную жизнь, безмужнюю, бездомную, растоптанную и униженную.

Я даже не сразу поняла, что плачу. Сначала почувствовала, как заложило нос и стало нечем дышать, а потом уже сообразила, что реву.

«Храни меня вдали от тьмы отчаяния,
Во времена, когда силы мои на исходе,
Зажги во мраке огонь, который сохранит меня...»

Ровно через двадцать минут мальчик вернулся, но у меня уже не было никакого настроения ни кокетничать с ним, ни даже просто разговаривать. Всю обратную дорогу я угрюмо молчала, то и дело посматривая на часы, чтобы не опоздать и не упустить Великого Пьяного Слепца. Правда, хозяйка квартиры обещала задержать его, если он попытается уйти до моего возвращения с «собакинга», но я пока не знаю, насколько надежны ее обещания. Знал бы этот милый юный мальчик с хорошей фигурой и низким, вибрирующим от избытка гормонов голосом, знал бы этот чудесный воспитанный мальчик, который считает меня очень красивой и собирается дарить мне цветы в знак любви, что через очень короткое время я буду сидеть на чужом стульчике перед чужой дверью, как попрошайка, которой из милости предоставили возможность отдохнуть, и караулить чужого мужа, который напился вдымину, не ворочает языком и с трудом шевелит ногами и который будет дышать мне в лицо отвратительным перегаром и слюнявить мне щеку вонючим мокрым пьяным поцелуем, не понимая, что я домработница, и принимая меня за некий приятный сердцу гибрид жены и собутыльника. Знал бы этот мальчик, что, отмучившись с транспортировкой и укладыванием чужого мужа в чужую постель, я буду принимать душ в чужой ванной и спать под чужой крышей. Что в этой жизни у меня нет ничего своего, кроме собственно жизни.

— Вы завтра вечером выйдете гулять? — робко спросил Костя на прощание, видимо, не понимая, чего это я стала такой неразговорчивой.

— Выйду, куда ж я денусь, — усмехнулась я.

— А можно я к вам подойду?

— Попробуйте. Может быть, завтра у меня будет другое настроение.

— А утром? Вы же утром рано выходите, я до института успею...

— Попробуйте, — коротко повторила я и отправилась отлавливать Гомера.

Сестра одноклассника Мишки обещание сдержала, на мой звонок открыла дверь, вынесла табуретку и даже предложила чай и бутерброд. Чаю мне хотелось, бутерброда тоже, но есть и пить, сидя под чужой дверью, показалось мне настолько унизительным, что я отказалась.

Эпопею ожидания Великого Слепца и препровождения его в родные пенаты я опущу, нет в ней ничего интересного и достойного внимания. К моменту нашего возвращения Николай Григорьевич уже спал, и нужно было постараться не нашуметь. Гомер моих намерений не разделял, говорил громко и двигался неаккуратно, но вдвоем с Натальей нам кое-как удалось запихнуть его под одеяло, не разбудив Старого Хозяина.

Вот и кончился этот безразмерный сдвоенный день. Я приняла душ, впустила блюстителя режима Патрика, приткнулась темечком ему под брюшко и попыталась уснуть. Получалось плохо. Перед глазами стояли купюры, зелененькие такие, по сто, пятьдесят и двадцать долларов. Мне кажется, я знаю «в лицо» каждую из них. Вот этими, по двадцать, мне заплатили зарплату в тот месяц, когда у Патрика был дисбактериоз и я каждый день засовывала ему в попку свечи, а в пасть — таблетки, причем сопровождалось это тугим спеленыванием жалкого, но активного тельца, норовящего вырваться из моих рук, и насильственным пропихиванием горькой таблетки прямо в маленькую розовую глотку. Весь тот месяц я ходила с расцарапанными руками. А вот эту купюру в сто долларов с крохотным чернильным пятнышком мне выдали за ноябрь прошлого года, когда Николай Григорьевич решил расхвораться не на шутку, и дело уже почти дошло до госпитализации, но Старый Хозяин уперся, мол, ни в какую больницу не поеду, меня там залечат, все равно лучше Ники за мной никто ухаживать не будет и все такое. Конечно, слышать это было приятно, но я понимала, какая ответственность на меня ложится — выхаживать в домашних условиях больного, место которого в стационаре. Я делала уколы, ставила капельницы, ежедневно бегала в аптеку заправлять подушки кислородом, почти совсем не спала, боясь пропустить что-нибудь важное, какое-нибудь изменение в состоянии Главного Объекта.

А вот четыре купюры по пятьдесят долларов с идущими подряд номерами, их я получила прошлым летом, в июне. Тополиный пух. От него не было спасения, и от жары тоже, и приходилось выбирать между спасительным сквозняком, моментально наносящим маленькие светлые сугробы во все углы и на все ковры, и чистотой в невыносимой духоте. Учитывая нездоровье Николая Григорьевича (всех остальных целыми днями не было дома, а Алена вообще после окончания учебного года уехала отдыхать на Мальту с подружкой и ее родителями), предпочтение отдавалось сквозняку, и убирать квартиру мне приходилось дважды в день.

Каждую купюру я помню. И помню, когда и за что я ее получила. Это был честный труд, ни одна зеленая бумажка не досталась мне даром, за просто так.

И может быть, через несколько дней мне придется расстаться с ними. Отдать их в чужие руки. И это будут отнюдь не руки продавца квартиры, для которых деньги, собственно говоря, и предназначались. А вдруг никакого толку не выйдет? Я деньги отдам, а скандал все равно разразится, и Николай Григорьевич... не дай бог, конечно... и меня уволят. А вдруг скандал разразится именно потому, что я влезла в это дело своими неумелыми руками и глупыми мозгами? И получится, что я сама привела себя к краху. Как же поступить? Как правильно?

«Дай мне силы, чтобы каждое мое действие было на благо других,

Дай мне силы, чтобы быть уверенной в моих мыслях, которые укрепят разум...»

Надеюсь, вам понятно, что и эта ночь не прервала невыносимо длинного дня, он все продолжался и продолжался, не давая мне передохнуть, расслабиться, набраться сил. Наступило утро среды, позади две бессонные ночи и миллион горестных и пугающих мыслей, а сколько всего этого еще впереди?

Литературно-художественное издание

Маринина Александра Борисовна

КАЖДЫЙ ЗА СЕБЯ

Том 1

Издано в авторской редакции
Ответственный редактор *О. Рубис*
Художественный редактор *Д. Сазонов*
Технический редактор *Н. Носова*
Компьютерная верстка *И. Ковалева*
Корректор *М. Мазалова*

В оформлении обложки использована работа
художника *А. Рыбакова*

ООО «Издательство «Эксмо»
127299, Москва, ул. Клары Цеткин, д. 18, корп. 5. Тел.: 411-68-86, 956-39-21.
www.eksmo.ru   E-mail: info@ eksmo.ru

Оптовая торговля:
109472, Москва, ул. Академика Скрябина, д. 21, этаж 2.
Тел./факс: (095) 378-84-74, 378-82-61, 745-89-16.
Многоканальный тел. 411-50-74. E-mail: reception@eksmo-sale.ru

Мелкооптовая торговля:
117192, Москва, Мичуринский пр-т, д. 12/1. Тел./факс: (095) 932-74-71.
127254, Москва, ул. Добролюбова, д. 2. Тел. (095) 780-58-34

Полный ассортимент продукции издательства «Эксмо» в Москве:
Москва, ул. Маршала Бирюзова, 17 (м. «Октябрьское Поле»). Тел. 194-97-86.
Москва, Пролетарский пр-т, 20 (м. «Кантемировская»). Тел. 325-47-29.
Москва, Комсомольский пр-т, 28 (в здании МДМ, м. «Фрунзенская»).
Тел. 782-88-26.
Москва, ул. Сходненская, д. 52 (м. «Сходненская»). Тел. 492-97-85.
Москва, ул. Митинская, д. 48 (м. «Тушинская»). Тел. 751-70-54.

ООО Дистрибьюторский центр «ЭКСМО-УКРАИНА».
Киев, ул. Луговая, д. 9. Тел. (044) 531-42-54, факс 419-97-49;
e-mail: **sale@eksmo.com.ua**

Полный ассортимент книг издательства «Эксмо» в Санкт-Петербурге:
РДЦ СЗКО, Санкт-Петербург, пр-т Обуховской Обороны, д. 84Е.
Тел. отдела рекламы (812) 265-44-80/81/82/83.

Сеть книжных магазинов «Буквоед». Крупнейшие магазины сети
«Книжный супермаркет» на Загородном, д. 35. Тел. (812) 312-67-34
и Магазин на Невском, д. 13. Тел. (812) 310-22-44.

Полный ассортимент книг издательства «Эксмо» в Нижнем Новгороде:
РДЦ «Эксмо НН», г. Н. Новгород, ул. Маршала Воронова, д. 3. Тел. (8312) 72-36-70.

Полный ассортимент книг издательства «Эксмо» в Челябинске:
ООО «ИнтерСервис ЛТД», г. Челябинск, Свердловский тракт, д. 14.
Тел. (3512) 21-35-16.

Подписано в печать с готовых монтажей 15.11.2004
Формат 70x90 ¹/₃₂. Гарнитура «Таймс». Печать офсетная
Бум. тип. Усл. печ. л. 11,7. Уч.-изд. л. 9,8
Доп. тираж 10 300 экз. (3 000 экз. РБ + 7 300 экз. А.М.Кд.). Заказ № 5686

Отпечатано с готовых диапозитивов во ФГУП ИПК
«Ульяновский Дом печати». 432980, г. Ульяновск, ул. Гончарова, 14